L'Esprit de bottine

FRANÇOIS AVARD

L'Esprit de bottine

LES INTOUCHABLES

Les Éditions des Intouchables bénéficient du soutien financier de la SODEC, du Programme de crédits d'impôt du gouvernement du Québec et sont inscrites au Programme de subvention globale du Conseil des Arts du Canada.

Nous reconnaissons l'aide financière du gouvernement du Canada par l'entremise du Programme d'aide au développement de l'industrie de l'édition (PADIÉ) pour nos activités d'édition.

LES ÉDITIONS DES INTOUCHABLES
816, rue Rachel Est
Montréal, Québec
H2J 2H6
Téléphone: (514) 526-0770
Télécopieur: (514) 529-7780
www.lesintouchables.com

DISTRIBUTION: PROLOGUE
1650, boulevard Lionel-Bertrand
Boisbriand, Québec
J7H 1N7
Téléphone: (450) 434-0306
Télécopieur: (450) 434-2627

Infographie: Infoscan Collette
Conception de la couverture: Crila, Geneviève Nadeau
Photographies de l'auteur: Crila

Dépôt légal: 2006
Bibliothèque et Archives nationales du Québec
Bibliothèque nationale du Canada

ISBN-10: 2-89549-254-9
ISBN-13: 978-2-89549-254-2

Mot de l'auteur

À l'adolescence, j'ai certainement commencé l'écriture de 215 romans. Certains ne sont pas allés plus loin qu'une idée se résumant à quelques lignes griffonnées dans un calepin, d'autres ont été amorcés, se rendant même parfois jusqu'à l'incroyable exploit d'une vingtaine de pages. Vingt pages à 14 ans, c'est 2 000 pages pour l'Avard d'aujourd'hui.

L'Esprit de bottine est ma 216e tentative et la première fois où j'atteignis le mot « fin » à une distance publiable du premier mot. Commencé à 18 ans (certains passages datant même davantage…), *L'Esprit de bottine* fut ma première tentative d'écrire à la première personne du singulier et, plus singulier encore, à la première personne de moi-même. Avec le recul, je crois que j'ai réussi la prouesse de mener à terme cette aventure littéraire, justement parce que j'ai commencé à m'inspirer de mon petit vécu au lieu de tenter de trop inventer. Les seuls défis de maîtriser un récit, d'essayer de conserver un début de style et de tout recommencer parfois depuis le début suffisaient à me donner du fil à retordre. Inutile d'en rajouter en inventant de zéro des personnages, des décors, des histoires. Rappelons qu'à 18 ans, on a aussi autre chose à foutre que d'écrire un roman, le plus souvent avec des filles. Pire : ce livre date de l'époque du dactylo. Sans doigté et guidés par ma seule volonté, mes deux index frappaient le clavier d'acier pour chaque lettre, comme le marteau du forgeron sur son enclume. Mes forces fléchissaient à chaque signe de ponctuation. Mon père, dormant dans la chambre d'à côté, devait désespérer d'entendre son fils essayer de devenir écrivain et raconter ses histoires de si bruyante manière à des heures si tardives.

Terminé en 1989, *L'Esprit de bottine* est d'abord refusé par la plupart des maisons d'édition dites sérieuses. Bien sûr, il y a les lettres de refus, de style « circulaire », qui te prennent pour un cave, une cave, comme celle-ci dont on taira l'origine :

> « *Chère madame,*
> *cher monsieur,*
>
> *Comme que convenu, nous avons soumis votre manuscrit à notre comité de lecture. Malheureusement, après en avoir pris connaissance, ce dernier ne nous en recommande pas la publication.* »

On ressent une certaine frustration à voir tout ce travail résumé et condamné en si peu de lignes. Heureusement, d'autres maisons d'édition, telle l'Hexagone (ci-dessous), laissent un certain espoir au jeune écrivain :

« *Cher monsieur,*

Vos personnages, le narrateur comme les autres, ont beaucoup de présence et, malgré les événements plutôt « tragiques » de la fin, vous savez conserver un ton léger et détaché à travers lequel passe beaucoup d'émotion. Votre ton est toujours vivant et juste. Ce sont les grandes qualités que nous avons appréciées.

Néanmoins, quoiqu'intéressant, le sujet est minuscule, beaucoup trop petit pour résister à 200 pages. Votre humour un peu grinçant a joué contre vous en vous empêchant d'entrer en profondeur dans votre sujet. »

Enfin, en 1991, me parvient une lettre des Éditions Guérin :

« *Cher monsieur,*

Nous avons terminé la lecture de votre manuscrit lequel a passé l'étape finale avec succès. »

Les hasards de la vie me mirent en contact beaucoup plus tard avec le rédacteur du rapport de lecture du manuscrit, monsieur

Donald R. ou, comme on dit plus commodément dans le jargon de la littérature, « avec le comité de lecture de la maison d'édition ». Le comité-Donald n'y allait pas avec le dos de la cuillère :

> « *Voilà un texte à publier. De toute évidence, l'auteur est un professionnel de la plume et de l'humour. Il sait écraser le monde par sa vision toute personnelle du monde (en général) et de sa propre réalité (en particulier). On sourit, on se bidonne, on frissonne et pire, on est ému (particulièrement par la scène du suicide raté de l'auteur). Qui lit Avard comprend très vite et pourquoi le bouffon est toujours si triste.*
>
> *Derrière l'apparente errance de l'auteur, une critique acerbe de notre société actuelle, une sorte de cruauté des faibles. C'est* L'Étranger *déguisé en bouffon qui refuse de lire Sartre de peur d'avoir ouvertement à assumer son mal existentiel. »*

La publication de *L'Esprit de bottine*, à l'automne 1991, marquait le début de quelque chose dans ma carrière, en même temps qu'elle ne marquait rien pantoute en librairie…

Au début, il y eut François Bruyand…

Des années plus tard, suite au succès des *Bougon,* une création (très) subséquente, les Éditions Guérin s'empressèrent de distribuer mes deux premiers titres (*L'Esprit de bottine,*

1991, et *Les Uniques*, 1993) en librairie. On ne peut reprocher à un éditeur de tenter de mettre à profit le succès d'un de ses auteurs. Toutefois, ces deux livres dataient d'il y a si longtemps que leur vue en rayon provoqua chez moi un grand malaise. Des gens allaient se procurer ces romans en croyant peut-être qu'ils venaient d'être écrits par l'auteur plus expérimenté de la série à succès.

Je crois avoir changé énormément en vingt ans, de la même manière que j'espère changer au cours des vingt années qui s'annoncent. Le style s'est affûté, la recherche se systématise, la curiosité aussi. *L'Esprit de bottine* est rempli d'erreurs de jeunesse et la pire, je crois, est celle de l'autocensure. On ne peut tout écrire! Les lectures que j'avais faites, y compris celles imposées à l'école, m'en avaient convaincu. Pour cette raison, je me suis censuré afin de correspondre à ce que je croyais alors être de la littérature.

Néanmoins, *L'Esprit de bottine* est la première manifestation d'une «manière avardienne» qui puisse aujourd'hui être repérée dans la plupart de mes créations personnelles. Cette patine, c'est la «cabotinerie», la grosse provoc' et l'énormité qui dissimulent des vérités voulues plus profondes, plus dramatiques ou plus tendres. Il s'agit là, j'imagine, d'une tentative d'attirer l'attention dès le départ. «Énormiser» une démonstration en espérant que le récepteur saura s'intéresser à tout ce qu'on lit entre les lignes, entre les répliques. Alors, si on veut parler d'une stylistique personnelle récurrente, on ne se trompera pas en affirmant que *L'Esprit de bottine* est certainement fondateur de cette manière, sorte de *trade-mark*.

Si le style a surtout trait à la forme et qu'il date de cette époque, le fond, lui, évolue de façon constante depuis. Une évolution au rythme du monde qui m'entoure.

Puis, il y eut un écho…

L'Esprit de bottine raconte avec humour les déboires d'un trop jeune adulte qui se cherche, ne se trouve guère et décide simplement d'en finir. Ce livre, donc, ne raconte pas une histoire originale. Même la forme, une voix narrative à la première personne, n'est pas originale. C'est un style en émergence, c'est la naissance d'une plumette. La grande force de ce roman? Il pose un regard amusant et surtout sincère sur l'entre-deux, l'adolescence et l'âge adulte, cette catastrophe qu'on appelle l'« adulescence », cette période que nos proches commentent en soupirant « j'sais ben pas qu'est-ce qu'y va arriver avec toé… »

Cette description sincère d'un âge difficile trouva enfin son écho quand un professeur de français au secondaire, Antonio Di Lalla, décida de le proposer en lecture à ses étudiants de cinquième secondaire. Choc. Le lecteur trouve alors, dans ce livre, le récit divertissant de son futur proche. Il se reconnaît dans le ton, souvent dans la désillusion du personnage principal, dans les lieux. Aussi malgré l'auto-censure avouée, *L'Esprit de bottine* contient tout de même des écarts d'écriture, des gros mots pas beaux, qui flabbergastent les jeunes lecteurs. Ainsi, s'étonnent-ils, la littérature ne serait pas seulement quelque chose qui sent la vieille pipe, qui pue le dictionnaire? Un livre, ça peut aussi être *L'Esprit de bottine*??? Car si *L'Esprit de bottine* fut le premier quoi que ce soit, il fut le premier livre pour adolescents et jeunes adultes écrit avec si peu de compétences mais tant de liberté. Il ne s'agit pas du récit moralisateur d'un vieux boomer nostalgique se souvenant de ses années de bohème : c'est le reportage en direct d'une adolescence qui s'attarde dans cette zone mortelle où plusieurs s'égareront, ces années « tofs » placées entre le cégep et le début d'une carrière quelconque, au moment où l'esprit n'a pas fini de se bâtir.

Devant ce succès aussi inattendu que réjouissant, *L'Esprit de bottine* débute en 1996 sa carrière de « lecture obligatoire » dans certaines écoles secondaires. Chaque fois qu'on me le demandait, j'allais rencontrer les groupes d'étudiants pour discuter du livre. Chaque fois, j'affrontais les mêmes réactions : la plupart ravie, d'autres choquées. À l'âge où la pudeur commence, certains lecteurs, surtout des lectrices, m'avouaient franchement leur malaise, malaise souvent très sensé compte tenu de l'immaturité totale de l'auteur. Néanmoins, bien géré par les professeurs, ce malaise devenait constructif, d'une part, parce qu'il permettait la discussion sur la liberté en art et, d'autre part, parce que le fond demeurait pertinent. En fait, j'affrontais alors les mêmes réactions que celles qui suivirent la diffusion des *Bougon*.

Tout de même, les plus beaux compliments qu'on me faisait, et qu'on me fait toujours, c'est le témoignage d'un garçon de cinquième secondaire, à l'allure discutable pour certains, qui m'approche pour me dire, épaté par son propre plaisir : « C'est la première fois que j'lis un livre au complet ! » ou bien « On dirait que le livre a été écrit pour moi. » Pour cet unique exploit, ce roman valait la peine d'exister.

Ce livre réjouit ceux qui s'y reconnaissent, ces jeunes qui se sentent invincibles, imbus d'eux-mêmes. Comme elle est belle, la jeunesse, lorsqu'elle se pense plus forte que tout !

FRANÇOIS AVARD,
25 septembre 2006

À L'INTENTION DES
PROFESSEURS DE FRANÇAIS

Deux expériences distinctes…

1994. J'enseigne depuis une vingtaine d'années, d'abord au primaire, puis à l'École secondaire Polybel. Mon intérêt se porte naturellement vers les élèves en difficulté d'apprentissage et de comportement, la première fleuretant la seconde. Pour soutenir mon élan, je comble mon horaire régulier par des groupes de cheminement particulier, des classes ressources ou des groupes inscrits en voie technologique. Je les adore.

Puis, un collègue m'invite à travailler en cinquième secondaire régulière. Triste constat : certains élèves n'ont jamais complété la lecture d'un seul roman. Il m'apparaît dès lors impensable que Nicolas, Ève ou Jérôme n'aient pas encore goûté le plaisir de lire. Le temps presse ; leurs études achèvent. Il faut agir prestement.

« Après deux pages, j'ai tout oublié », m'expliquait Louis, un grand gaillard de seize ans. Sa bonne foi n'est pas en cause, car certains jeunes éprouvent une difficulté indéniable à visualiser les descriptions de personnages et de lieux. Dès lors, je me mets à la recherche d'un roman accrocheur, contemporain et québécois qui permettrait le filmage des lieux et des personnages ayant inspiré son auteur. De plus, l'œuvre devra intéresser aussi la majorité des élèves de mes classes, ceux qui se nourrissent de *La Nuit des temps* et autres vies devant soi[1].

À ce moment, l'UQAM me propose François Avard comme stagiaire, *L'Esprit de bottine* en main. Un bonheur n'advenant jamais seul, ma fille étudie l'importance des techniques audio-visuelles dans l'enseignement du français. Le projet[2] prend forme.

François Avard écrit le scénario du documentaire ; Marielle Di Lalla Besner réalise le film d'une durée de quarante minutes. L'idée ? Filmer tous les lieux qui ont inspiré l'auteur et faire parler les personnages mis en scène. Simplement. Avec un souci constant d'authenticité.

La première partie du documentaire est présentée avant le commencement de la lecture ; la seconde, plus explicative, à la fin. Les élèves

---

1. René Barjavel. *La Nuit des temps,* Paris, Presses de la Cité, 1968, 316 pages.
   Émile Ajar. *La Vie devant soi,* Paris, Mercure de France, 1975, 270 pages.
2. La réalisation fut présentée au congrès de L'Association québécoise des professeurs de français (AQPF) en 2001.

sont conquis. Afin de faciliter la compréhension de l'œuvre, Roger Lambert, un collègue, m'aide à dresser des schémas narratifs et de personnages, à compléter après chaque chapitre. Pour épurer un *toutipeu* les plumes prolixes, on part à l'exploration des omniprésentes figures de style et procédés humoristiques. Amusante, l'évaluation prend la forme de questions à choix multiples ; on utilisera l'humour pour dilater l'épreuve. Une visite de l'auteur boucle l'activité.

Résultat : Tous les élèves complètent la lecture du texte, soufflés par le noroît, certains auront embarqué dans la corvette au deuxième et au troisième tournants. 98 % des cent vingt élèves recommandent la reconduction de l'activité pour les élèves qui les succéderont.

1999. J'enseigne à l'École d'éducation internationale de Saint-Hubert, alors première au classement de la revue *L'actualité*[3]. Les Rois maudits et leur tombeau[4] font le délice de mes chevaliers de quatrième secondaire. J'en oublie *L'Esprit de bottine*. Grossière erreur !

Les adolescents doués sont hélas ! parfois victimes de leurs ambitions, et de celles de leurs

3. Institut économique de Montréal/Institut Fraser, *Bulletin des écoles secondaires du Québec*, dans *L'actualité*.
4. Maurice Druon. *Les Rois maudits*, Paris, Plon, 1998, 1620 pages. Anne Hébert. *Le Tombeau des rois*, Institut littéraire du Québec, 1953, 76 pages.

parents et de leurs professeurs. Trop, c'est trop. Pour palier, on aura recours à l'absorption d'antidépresseurs ; on poussera la perfection à sa limite : l'anorexie. Pour survivre, on se noircira les idées d'un noir absolu.

Il faut agir diligemment. Alors me vient à l'esprit une bottine…

Avec la collaboration de monsieur Jean-Max Noël, le psychologue de l'école, un projet[5] prend forme : à partir de l'étude du roman *L'Esprit de bottine*, emmener l'élève à s'interroger sur le phénomène de la détresse à l'adolescence ; aussi l'emmener à se questionner sur le sens de la souffrance. Alors que j'assume la partie littéraire, Jean-Max Noël anime une discussion sur les causes du désarroi et offre des pistes de soutien et d'accompagnement à l'élève plongé dans le noir, et même le gris, ainsi qu'à son aidant naturel. Alain Carrière, professeur de morale, se joint à l'équipe. Il assume l'angle éthique de cette troublante question. Et hop ! pour les compétences transversales. Ces messieurs du Ministère seront contents. Je repasse les chemises de mon classeur ; la direction de l'école commande les bouquins. Une visite de l'auteur boucle l'activité.

---

5. La réalisation fut présentée au colloque de la Société des écoles d'éducation internationale (SÉÉI) en 2003 et en 2004.

Résultat : Depuis ce jour, tous les élèves vécurent heureux, se marièrent et eurent beaucoup d'enfants... Ben non, voyons donc ! Cependant, 97 % des cent vingt élèves recommandèrent la reconduction de l'activité pour les élèves qui les succéderaient...

ANTONIO DI LALLA,
Professeur de français

LA VRAIE CRITIQUE

Au fil des années, *L'Esprit de bottine* est devenu une lecture obligatoire dans plusieurs écoles secondaires, principalement à des étudiants de 4e ou de 5e secondaire. L'occasion est trop belle pour un professeur de proposer un roman qui touche les cordes sensibles des jeunes, dans un style qui ne les rebute pas, et qui propose une thématique toujours contemporaine : le mal de vivre à l'« adulescence ».

Les témoignages ci-dessous sont tirés de diverses critiques effectuées par les étudiants. Ce qu'on y lit, dans le style d'un étudiant du secondaire, ça ne s'invente pas...

Moi, j'ai bien aimé ce livre de François Avard. Il y a beaucoup d'humour, ce qui fait qu'il est très facile à lire. Je vous recommande fortement « L'Esprit de bottine ». C'est un livre qui se lit tout seul. C'est le meilleur livre que j'ai lu. Je lui accorde une note de 9,5/10.
Benoît G., secondaire 5

Nous recommandons fortement la lecture de ce roman. Ça vaut vraiment la peine de le faire, car

*l'histoire est vraiment drôle et elle sort de l'ordi-
naire. Nous croyons qu'elle reflète bien la vie de la
plupart des jeunes adultes d'aujourd'hui.*
Élizabeth C. & Geneviève G., secondaire 5

*C'est plate, car il raconte sa vie tout le long du
roman et sa vie est plate. Il n'y a rien d'intéressant.
Je ne le conseille pas à personne. Si vous aimez le
suspense, ne le lisez pas. Je lui accorde une note
de 3/10.*
Caroline L., secondaire 5

*C'est un livre très drôle, l'humour est très bon. Il
dit toujours ce qu'il pense et c'est toujours très
drôle et il ne se gêne pas. L'histoire qu'il raconte
est vraisemblable. Ça pourrait arriver à n'importe
qui. On aime le style de langage qu'il emploie.
C'est plus facile à comprendre. L'histoire se lit
vite et assez bien.*
Éric F. & Mireille B., secondaire 5

*Le thème traité dans le roman le rend crédible.
D'ailleurs, l'utilisation de l'humour pour parler
d'un sujet aussi grave que le suicide rend ce sujet
plus facile à comprendre.*
Jean-François J., Sébastien C. et Olivier L.

À ma puce, la famille, les copains,
et tous ceux qui écrivent en cachette.

INTRODUCTION

« Je crois que mon entourage croit que je ne croîs plus », crus-je à l'époque. Ça allait faire bientôt trois ans que j'en avais dix-neuf. Je n'assumais aucun rôle sérieux ou précis au sein de notre jolie société québécoise. En retardant ainsi son entrée en fonction, je me moquais bien de mon avenir. Rien foutre dans la vie, c'est un art. J'étais un artiste. Je n'allais nulle part, mais là, au moins, je n'allais pas être seul. Nous sommes plusieurs à pratiquer le même métier : l'oisiveté.

Toutefois, de voir parents et amis s'en faire pour moi m'agaçait et, je l'admets, m'inquiétait un peu. Mon père et ma mère, surtout, se faisaient du mouron pour leur fils qui obtenait des 98 en classe d'écologie en première secondaire, et de qui tout plein de professeurs prédisaient tout plein de bien. J'étais devenu l'enfant prodigue jamais revenu, le fonds de pension dévalisé, la combinaison de 6/49 qui a déjà rapporté dix dollars et que l'on conserve depuis, de crainte qu'elle ne sorte de nouveau au prochain tirage. Bref, comme le dirait un jeune mécanicien dans la langue poète, « je ne suitais qu'un vague coquelicot fané ».

Avant que mes créateurs ne divorcent ou ne s'entretuent à cause d'un fils qui tourne en rond en fuyant la carotte, je devais faire quelque chose. Agir.

J'aurais pu retourner aux études comme le souhaitait ma matrice de mère. Je levais la tête, remuais un peu pour qu'elle sache que je ne dormais plus et lui répondais : «Ce serait trop facile». Après quoi, elle rangeait mes bas sans claquer le tiroir. J'aurais pu me trouver un boulot mais j'y suis allergique. Le neuf à cinq en usine me donne des maux de dos, de pieds et de tête, et m'endolorit les muscles. J'aurais pu me dénicher un emploi comme gardien de nuit dans un entrepôt à cossins, mais voilà, parfois, je souffre d'insomnie. Lorsque cela m'arrive, je dors le jour. Alors, si je travaille la nuit et n'arrive pas à m'endormir le jour, quand vais-je dormir?

Ce fichu jour-là, le soleil brillait sûrement. Après une trop courte réflexion et deux trop grosses bières, je suis tombé sur l'action idéale, le geste parfait à poser (me semblait-il) pour enfin m'assumer. Pour sortir de mon inertie, j'allais écrire rien de moins qu'un roman...

1

Ce matin-là, je me suis levé. Il n'y a plus de dessins animés à la télé alors j'ai pu déjeuner sans ennui. Lorsque je n'étais qu'un tout petit bambin, il y avait Bugs Bunny et ses amis. J'apportais donc mes toasts et mon verre de jus au salon. Inévitablement, je renversais mon verre. Si, au moins, on avait eu un tapis orange, ça n'aurait pas causé trop de problèmes. Mais il semble que les tapis orange ne poussent nulle part : c'est la culture du tapis blanc qui est la plus répandue au pays. C'est normal : c'est celui qui expire le plus tôt. Alors chez nous, on a un tapis blanc à motifs orange, raisins et Quik.

Parfois, comme la veille, je me couche tout habillé. Ça évite d'avoir à se vêtir le lendemain quand on sait qu'on sera pressé de courir quelque part. De toute façon, c'est mieux que de dormir nu. C'est vrai : on ne sait jamais s'il n'y aura pas un incendie dans la nuit et qu'on ne se retrouvera pas tout nu dans la rue, notre machin à la vue des voisins dont on se cache en mettant plein de trucs dans nos fenêtres (sauf madame Sénécal mais on s'en fout). Or donc, j'étais déjà habillé et prêt à courir à la librairie sitôt mes huit toasts au beurre d'arachides avalées.

En fait, j'ai couru jusqu'à la librairie en automobile. Vous ne le saviez peut-être pas mais j'ai une voiture. Une Pontiac *Le Mans* de luxe de l'année... 1973. Dans cinq ans, mon auto aura mon âge. À ce moment seulement je lui permettrai de me tutoyer. Les glaces de mon bolide sont électriques en été et léthargiques en hiver. Il est intelligent : je le comprends très bien de ne pas s'ouvrir à tous les vents en janvier. À l'intérieur, il y a une radio am et simili-fm, des pédales, des pitons, une ceinture de sécurité en deux morceaux comme elles se faisaient jadis et une madame nue accrochée au miroir pour que ça sente bon. Ils vendent aussi des Garfield qu'on peut accrocher au miroir mais ceux-là sentent le chat. Si j'ai recours à des odeurs artificiellement agréables, c'est que sur la banquette arrière, où je ne m'assois jamais, il y a des cochonneries, des cossins et de la nourriture sûrement morte depuis la dernière fois que je l'ai vue. De la pizza et du McDonald's. Le mélange de la femme nue et de la viande avariée est, disons, particulier.

Si je possède une voiture, ce n'est pas grâce à mon travail acharné mais plutôt grâce à l'excellent prix que m'a fait mon grand-père. Trois fois rien, soit sa véritable valeur. Ça lui a fait mal au cœur de s'en séparer. Aujourd'hui, il a mal au cœur rien que d'y embarquer. Il est sensible aux rondelles de bœuf haché vertes. Moi, j'ai fait partie des scouts, alors ça ne me fait aucun effet.

J'ai dû payer les plaques, les assurances et tout. Ça m'a coûté un bras. J'ai sacrifié le gauche. Et au rythme auquel ma puissante Pontiac consomme, ça me coûtera bientôt le droit. Heureusement, vu qu'elle boit autant qu'un militaire et aussi souvent qu'un moineau, je peux profiter en grand des diverses offres spéciales des stations d'essence. Jusqu'à maintenant, j'ai couru plusieurs chances de gagner des voyages, j'ai sauvé deux oiseaux en voie de disparition et j'ai pu ramasser une coutellerie, des bols à soupe jaunes, trois assiettes incassables, des livres de Archie « Rions un peu » (pas beaucoup) et trois bidons de jus pour les lignes blanches de mes pneus. Ça console.

Il va sans dire qu'avant de me rendre à la librairie, j'avais dressé une liste mentale de ce dont j'allais avoir besoin pour écrire un roman : du papier, des crayons, des gommes à effacer et, de préférence, des gommes à effacer qui sentent bon.

Les librairies sont toutes pareilles. Et celle où je me suis rendu n'échappe pas à la règle. Dans la section des bouquins, ça sent le tapis et du côté des effets scolaires, ça sent la colle. Si on tend bien l'oreille, on entend la face B de l'unique 45 tours d'une station spécialisée dans la radiodiffusion de l'ennui. Immanquablement, la commis de la librairie est en grande conversation téléphonique avec, sûrement, une autre commis de librairie qui s'ennuyait elle aussi. Il faut dire que dans mon pays, les gens n'achètent pas beaucoup de livres. Ils les louent dans les bibliothèques publiques. Moi, je trouve cela dégueulasse de lire un livre que n'importe qui a lu et tenu dans ses mains. C'est mon opinion et je la respecte. Et si les gens de mon pays achètent des livres, ce sont des trucs d'ésotérisme ou de régimes qui ne font maigrir que les vedettes de la télévision déjà maigres. Ce n'est pas rigolo, dans mon pays qui est l'hiver, d'être romancier. Sitôt qu'un écrivain pond une bonne histoire, on en fait une mauvaise série télévisée. Alors, un acteur pourri mais joli devient une star et il peut ainsi vendre des livres de diète et le romancier maigrit, car personne n'achète son bouquin parce que tous ont vu la télésérie et tous l'ont trouvée moche. Mais les gens se procureront *Les secrets de ma perte de poids* du mauvais acteur blond aux yeux bleus. Le secret de sa perte de poids, c'est qu'il n'en a jamais eu. En fait, dans mon pays, qui n'en est pas un, la seule façon de rigoler, c'est de se moquer des gens. Ici, tout le monde rit de tout le monde et tout le monde parvient à s'endormir lorsque le soleil nous boude et va voir s'il fait beau sur l'autre versant de la planète.

Pendant que je portais les gommes à effacer à mon nez – un pied rouge au parfum de cerise et un autobus au parfum de cul – je me suis soudainement senti gêné d'entendre la madame commis parler au téléphone. Et moi qui croyais que les libraires avaient un tas de sujets de conversation intéressants ! Non. Au lieu de discuter du dernier roman de Karl Marx ou d'analyser la prose de Nelligan, la dame commentait les tenues vestimentaires des artistes de l'émission de variétés de la veille. J'ai, dès lors, compris pourquoi les humains font la guerre...

– Elle avait l'air d'un cachalot avec sa robe noère pis ses ch'veux renvoèyés en motton... On aurait dit qu'à pitchait d'l'eau !

I1 y avait une gomme à effacer en forme d'étron mais elle sentait la fraise parce qu'elle était rouge.

– As-tu vu Roch chanter ? ...Y est-tu assez beau !

Son combiné devait bander. Je savais bien que personne n'écoutait Roch chanter. J'ai finalement choisi la gomme en forme de bleuet qui sentait le bleu.

Parce que j'ai de grandes poches, j'ai aussi pu y foutre plusieurs crayons jaunes au parfum d'école. Puis, j'ai quitté le département des cossins d'apprentissage au vol à l'étalage pour celui des bouquins. J'en achèterais un ou deux, histoire de me familiariser avec la littérature.

Plus jeune, j'ai presque lu quelques romans au complet. Ça m'ennuyait. Peut-être était-ce parce qu'on m'obligeait à les lire? À l'école, les professeurs croient bien faire en nous menottant à un livre qu'ils ont choisi et qui pue. Les profs sont des marginaux qui ne comprennent rien à rien. Leurs élèves l'ont saisi, eux. De plus, ces traîtres à la nation barbus semblent avoir comme mission de nous faire détester la littérature québécoise. Ils s'y prennent de belle façon: «Ce semestre, les amis, nous allons faire une dissertation sur l'œuvre de Louis Caron intitulée *Le Canard de bois*». À ce moment, tous les élèves se tournent vers le petit Caron de la classe et lui demandent si c'est son père. En classe de théâtre, on met en scène *Zone* de Marcel Chose (je me souviens de «Marcel» car j'ai un oncle qui se prénomme ainsi), un type qui est sûrement mort depuis belle lurette. Rendus au collège, les jeunes ne lisent plus et les grands titres des journaux s'inquiètent. Si les étudiants lisaient autre chose que des romans qui ne racontent que les souvenirs de jeunesse d'une grand-mère même pas vicieuse à Matapédia, peut-être aurions-nous un renouvellement de générations de lecteurs. Ainsi, il n'y aurait pas que les parents pour acheter des livres. De toute façon, si l'on se fie uniquement aux papas et aux mamans pour faire vivre les auteurs, ceux-ci devront bientôt se nourrir de papier et de soupes pas très populaires. Dans un pays où les livres de recettes sont « best sellers », il vaut mieux être cuisinier qu'écrivain. Après ça, on se demande pourquoi les livres de régimes amaigrissants se vendent comme des petits pains chauds...

Finalement, j'ai choisi un seul bouquin. *L'Attrape-cœurs* de J.D. Salinger. Le titre m'est sauté au visage. C'est ce livre qui a servi à assassiner John Lennon. En le feuilletant – et ça ne sert à rien de feuilleter un roman –, je me suis soudainement mis à rêver qu'un jour, un type abattrait Robert Charlebois après avoir lu le roman que j'allais écrire. Wouah ! J'adore Charlebois et s'il me le rend, il acceptera de mourir pour ma notoriété. Il y avait plusieurs autres livres sur les rayons, mais ils avaient trop de pages ou leur couverture ne m'a pas accroché. J'ai failli acheter un Stephen King mais je me suis ravisé : je louerai le film. Ça fera pareil.

Arrivé à la caisse, deux choses m'ont surpris : le prix des romans et la tête que m'a faite la caissière. Elle aurait dû faire la fête, se réjouir : je suis un « jeune » et j'achetais un « livre » ! Eh bien non. Au lieu de me donner un bouquet de ballons ou de me faire une réduction, elle a préféré me faire un air con comme si elle chiait sur mes goûts « néoïtes » en matière de littérature. « Quand je serai un grand Técrivain, je sortirai mon pénis et pisserai dans sa librairie ! » pensai-je alors. En attendant, je me résignai, mais les vrais Técrivains peuvent se permettre ce genre de choses. Il paraît.

Mais je me trompais : il ne s'agissait pas de SA librairie. Et plutôt que de faire pipi sur le comptoir, j'ai passé près de le faire dans mes pantalons. Je savais bien que cette commis ne m'avait pas vu remplir mes poches de cossins, mais la main qui s'est posée sur mon épaule alors que je poussais la porte n'était pas la sienne. C'était une grosse main avec de gros poils noirs sur chaque phalange. Pour en avoir autant, il devait les raser, ça, c'est sûr !

Il a seulement dit : « Attends ! » Ce mot a suffi pour renverser la planète. J'ai cru que j'allais m'évanouir. Mon cœur battait si fort qu'il devait l'entendre lui aussi. Je me suis retourné lentement. Il était obèse et, sûrement, le propriétaire. Si je ne l'avais pas vu, lui m'avait vu. Je suais à grosses gouttes en cachette. En une fraction de seconde, je me mis à puer. J'irais en prison. Gulp !

— Tu serais pas le fils de ton père ? demande l'homme.

— Je... Je l'sais pas, balbutiai-je.

— Ben oui, continue-t-il, t'es le p'tit Bruyand !

— Ça s'peut.

Je tremblais : en plus, il sait que je suis le fils de mon père !

Le type s'est soudainement détendu et a arboré un sourire de député :

— Tu lui diras bonjour de ma part !

Je suis devenu tout mou, comme après un marathon.

– Et vous êtes qui? demandai-je poliment.

– Un vieil ami!

Je suis sorti. Pendant que mes entrailles entonnaient un vibrant alléluia, l'envie m'est venue de philosopher sur la fragilité de notre sort sur cette terre. On ne sait jamais quand on se fera prendre à voler. Philosopher m'a toujours emmerdé, alors j'ai laissé tomber les âneries. Il faisait beau. Le soleil était là-haut, à sa place. Existe-t-il quelque chose de plus rassurant que le bruit et l'odeur de la ville après un intérieur de librairie? Saint-Hyacinthe est si jolie après cela qu'il aurait pu tomber de la marde et je me serais baigné dans la rue. On pouvait humer le doux monoxyde de carbone et ouïr le ronflement des camions de livraison stationnés en double. Le paradis!

Au lieu de m'en retourner chez moi pour ne rien faire ou pour niaiser, j'ai décidé d'aller au petit café pas très loin de là. J'étais presque déterminé à terminer la lecture de mon premier roman le plus tôt possible. À l'avenir, j'allais pouvoir le citer chaque fois que je discuterais de choses sérieuses. Cet achat, quoique coûteux, rapporterait.

J'ai marché jusqu'au café sans prendre soin d'éviter les lignes du trottoir, me sentant définitivement invincible et me promettant d'essayer de ne pas payer mon café. Étant en possession d'un vrai livre et du désir d'en écrire un, je pouvais me permettre de prendre un café sans souffrir du moindre complexe. Dans ce genre d'endroit, c'est bien connu, il y a plein de gens qui ont déjà lu un livre et qui se promettent d'en écrire un meilleur. Du moins, c'est ce qu'ils nous répètent. Ceux-là citent toujours le même bouquin. Souvent, ils le transportent sur eux. S'ils ne vous connaissent pas, ils peuvent même vous citer deux fois le même passage de Freud pour deux problèmes mécaniques différents de leur voiture. Entrons et pétons un peu de broue...

Les deux pieds à l'intérieur du portique, j'ai mis mes lunettes de soleil pour faire semblant d'avoir passé la nuit à écrire mon roman pas commencé. Je me transformais en une bête de nuit, tel un Batman du dactylo, un vampire des mots. Pour être tout à fait franc, je crois que j'avais le chic.

Je me suis dirigé vers le comptoir en feignant de ne reconnaître personne. J'étais quelqu'un! Là, j'ai dû choisir entre un café au lait, moka, cappuccino, espresso étiré de un à six, velouté corsé, etc. Ouf! J'ai demandé un café ordinaire, s'il vous plaît. Je n'ai pu me soustraire à payer ma consommation. Dedans, j'ai mis du sucre, quatre, et de la crème, trois. J'ai visé la table du fond, celle près des fenêtres.

Assis, d'un geste discret, j'ai jeté un œil à la population du café. Je ne connaissais personne.

J'ai ôté mes lunettes fumées. À ma gauche, il y avait deux simili-artistes qui suçaient de la salade tout en s'en racontant. Plus loin, deux dentistes profitaient de leur pause du dîner pour avaler des croissants sept grains au tofu. J'ai déposé ma tasse au centre de la table car celle-ci n'était pas de niveau. À moins que ce soit le plancher. J'ai mis *L'Attrape-cœurs* à côté et mon café a versé sur la gauche, tachant ainsi la table. Jusqu'à ce que je l'aie terminée, ma tasse a laissé huit ronds liquides. C'est dégueulasse, je sais. Une fois la dernière gorgée avalée, j'ai changé de place.

Du nouvel endroit où j'étais assis, je pouvais surveiller les entrées et les sorties. Je me sentais utile. En face de moi, il y avait une dame dans la quarantaine qui essayait d'avoir l'air moins vieille en s'habillant en jaune et vert phosphorescent. Avec des sous-vêtements de la même couleur, elle doit garder ses amants réveillés toute la nuit. Elle buvait son café à même le bol. Quand j'étais tout petit et que je terminais ma soupe de cette façon, ma mère gueulait. Si son fils la voyait!

Je regardais partout et nulle part. Je pensais à tout et à rien. Je n'arrivais pas à me décider d'entreprendre la lecture de mon bouquin. J'ai calculé qu'à quarante lettres par ligne, trente-huit lignes par page et comptant deux cent cinquante-six pages, ce livre contient trois cent quatre-vingt-neuf mille cent vingt caractères.

C'est beaucoup pour un si petit livre. On serait sûrement surpris si on apprenait combien de mots on a pu dire depuis notre naissance. Sûrement près de mille milliards !

Je m'intéressais à ce genre de questions quand mon copain est entré. Il est denturologiste.C'est marrant qu'à mon âge j'aie des potes « professionnels » qui arrivent à se payer des Honda *Prélude* de l'année ! Lui, c'est un adulte maintenant : il a commencé à payer de l'impôt au lieu d'en recevoir.

– Salut, marmonne-t-il en s'asseyant.

– Salut, j'ai répondu.

Ce type est tout sauf exaltant. Il pourrait m'acheter mais il n'exalte pas. J'étais plus heureux que lui de sa nouvelle voiture. Il s'est vite habitué à gagner plein de fric et je ne m'habitue pas d'en manquer. Si ce mec apparaissait dans mon roman, je le prénommerais Pico. Pico a beau être riche, il est tout de même tombé amoureux d'Andrée, mon ancienne blonde.

– T'aurais pas vu Andrée ? il me demande.

– Non.

– Vaudrait mieux que j'm'excuse, qu'est-ce t'en penses ?

Moi, dans ces conditions, je ne pense à rien. Lorsque Pico a annoncé à Andrée qu'il en était maniaque-fou, elle lui a foutu une baffe. Il veut s'excuser.

– Donne-moi vingt piasses et penses-y pus ! j'ai fait.

Pico a souri. C'est rassurant de le voir montrer ses dents, mais ça ne dure jamais très longtemps. Il ressemble à un chef indien, dur, ferme et froid, à la différence qu'il paye de l'impôt. Je lui ai proposé d'aller s'acheter un café et de m'en ramener un du même coup. Je ne suis pas un profiteur ; je suis un opportuniste.

Pico et moi sommes copains depuis deux ans. C'était un accident. Après une soirée qui avait duré trop longtemps, j'ai reculé dans sa portière du passager. Je serais bien parti sans laisser d'adresse, comme d'habitude, mais l'impact a réveillé Pico qui y roupillait après avoir vomi. On a rédigé le constat à l'amiable le lendemain. Je lui ai rappelé que la veille, il avait mentionné qu'il profiterait de l'incident pour changer de voiture, que ça tombait bien. Du moins, c'est ce que j'avais cru comprendre. Depuis, on est copains.

– Je vais écrire un roman, j'ai dit à Pico quand il est revenu à la table.

Pico a encore souri. Décidément, c'est sa journée.

– Ouais ? il a seulement répondu.

– Ouais !

– Ça va être quoi l'histoire ?

– Je l'sais pas encore, j'ai dit.

– Comment tu peux dire que tu vas écrire un roman si t'as pas d'histoire ? C'est con !

– Écoute, j'ai attaqué, j'ai pas encore d'histoire mais ça va venir. Pour le moment, j'ai des crayons, une efface, du papier...

Merde ! J'ai oublié le papier !

– Ça suffit pas d'avoir des crayons pour écrire un roman ! il a fait.

– J'ai du talent pour écrire. Ma mère me répète tout le temps que je tiendrais ça d'elle !

Pico faisait « non, je n'y crois pas » avec sa tête. S'il croyait que je ne le voyais pas...

– As-tu déjà lu seulement un roman ? il a demandé.

Je n'ai pas répondu.

– Tu gagnes même pas ta vie en écrivant des sketches, comment tu veux seulement être édité ?

À partir de là, j'ai commencé à en avoir marre. C'est en forgeant qu'on devient forgeron ! Pico menaçait de réduire à néant toute ma bonne volonté. S'il m'avait dit, il y a deux ans, qu'il fabriquerait des dentiers toute sa vie, peut-être aurais-je réagi de la même façon. Mais moi, je l'aurais gardé pour moi.

– T'es sûr que t'as pas vu Andrée ? il m'a redemandé.

– Non.

Je boudais un peu. Juste un peu. Je vais écrire un roman, c'est l'œuvre d'une vie et lui s'inquiète d'Andrée.

J'aurais dû lui dire qu'elle ne voulait rien savoir de lui, qu'elle souhaitait tout, sauf se retrouver en sa compagnie. Certains prétendent que c'est le rôle d'un ami. J'ai plutôt fait bifurquer la conversation sur la saison de hockey qui commençait à peine. C'est moins compliqué.

2

De retour à la maison, mon père terminait son poisson frit. Je ne dînerais pas.

– Un vieil ami t'envoie ses salutations, annonçai-je.

– Qui?

– J'sais pas. Un gros vieil ami... Avec des cheveux sur les phalanges.

Il marmonna « ça doit être Paul », haussa les épaules et retourna à son poisson. Sensible à l'odeur, je suis descendu au sous-sol.

J'errai dans ma chambre dix bonnes minutes. Ne pouvant me désister une seconde fois à la tâche, je sortis *L'Attrape-cœurs* de son petit sac et entrepris tout d'abord la lecture du dit petit sac. Puis l'ayant rendu inutilisable après l'avoir gonflé et crevé, je tripotai le bouquin. Il sentait bon. Le papier ou l'encre. Peut-être les deux. Mon lit aussi avait un arôme invitant. Je m'étendis donc et me promis de lire sitôt ma sieste terminée.

Le sommeil n'est jamais venu. La caféine lui bloquait le passage. Après trois longs soupirs qui auraient fait pleurer une maman, j'ai commencé la lecture du roman. Croyez-moi, j'y ai mis l'après-midi entière mais je l'ai lu du début à la fin. Du reste, je n'avais rien de mieux à faire.

L'auteur non plus. L'assassin de Lennon était vraiment déséquilibré pour y trouver l'inspiration de son geste. En gros, disons que c'est l'histoire d'un gars à qui il arrive des affaires. En gros. Bon. Jusque-là, ça aurait pu être une bonne source : un Técrivain peut faire arriver n'importe quoi à ses bonshommes. Ça aurait pu. Sauf qu'il n'arrive finalement que très peu de choses au bonhomme en question. Un certain Holden Caulfield. Il fait une fugue puis revient. Banal, non ? Il n'y a pas de quoi fouetter un chat ni tuer un Beatle.

Tout de même, je m'en suis trouvé rassuré : s'il ne se passait rien dans mon roman, des critiques pourraient y trouver quelques trucs valables.

Fort de l'expérience littéraire que je venais de vivre, je me sentis prêt pour la grande aventure : mon premier roman.

Je me suis assis devant la dactylo familiale, y ai glissé une feuille blanche. Elle l'est restée.

Je me suis débouché une bière.

Décidément, Salinger m'avait vidé. Rien ne sortait. J'avais hâte d'entendre le son de la cloche annonçant la fin de la ligne. Mes tablettes semblaient enneigées. Il faudra que je songe à les épousseter. Je pouvais clairement ouïr mon lit qui me criait de venir le rejoindre. Mon cœur hurlait oui. Ma tête ne pipait mot.

J'ai fait le ménage de mon portefeuille. C'est fou les cossins qu'on ramasse sans s'en rendre compte. J'avais un tas de cartes d'affaires qui n'avaient pas d'affaire avec moi. Des adresses de plombiers, d'électriciens, et de brasseries. Pourquoi? Dans un coin où je ne fouille jamais, j'ai retrouvé un bout de papier avec «rappeler Pierre» griffonné dessus. Lequel? J'en connais six!

Mon roman n'avançait pas. Je me suis débouché une deuxième bière.

Bon. Par quoi on commence? Quels sont les ingrédients d'un bon roman? Dans ma mémoire, à la page de mes cours de français du secondaire, il y avait les informations suivantes: un héros, des méchants, situer l'histoire dans le temps et les lieux. Puis, ces souvenirs se sont entremêlés à d'autres. Je me revoyais en classe, un prof de français de six pieds faisant rimer «turquoise» et «bergère» alors que mes vers se terminaient en «ex» et en «gin». S'il avait su! Quoiqu'il devait bien se douter...

Pas un mot! Une heure a passé et pas un seul caractère sur cette feuille. Heureusement, le téléphone a sonné.

Tu viens au cinéma?

Zut. C'était Andrée. Mon ex.

Jamais notre histoire ne fut simple. Avant d'expliquer les quatre années passées à ses côtés, j'aimerais comprendre. On a convenu à l'époque que nous devions sortir ensemble parce que un : nous avions seize ans, deux : j'étais mignon, trois : elle était bien roulée, quatre : les pressions sociales nous poussaient à nous mettre ensemble au plus vite. Après le rituel du tripotage, deux semaines, j'ai enfoui mon pipi dans le sien. Plus tard, j'ai appris qu'elle n'en avait soutiré aucun plaisir. J'avais, semble-t-il, éjaculé avant qu'elle n'atteigne l'orgasme. Aujourd'hui, j'en ris : je peux faire beaucoup plus vite.

Les trois années et onze mois et demi qui suivirent furent mémorables. Jamais nos hauts n'atteignirent les sommets de nos bas. Nous avons pourtant tout tenté pour sauver notre couple. Désormais, j'observe les écologistes qui veulent sauvegarder les rivières et les jungles de ferraille et je rigole. Nous nous sommes quittés, avons discuté de longues nuits, avons repris, nous nous sommes fait de beaux cadeaux, nous les avons repris. Nous nous sommes fait des excuses et les avons reprises. Quatre ans de reprisage. Nous formions le plus beau spécimen d'union de notre génération. Nous ne nous étonnions plus de n'avoir que des amis célibataires. Ils nous subissaient et projetaient un célibat éternel.

Andrée et moi multipliions les acrobaties pour obtenir le dernier mot. Nous étions un phénomène de cirque. Quatre années de guerre intense. Quatre années de relation entre deux adolescents qui n'ont vraiment pas ressemblé à une publicité de Coca-Cola. Lorsque le bon sens l'a finalement emporté, nous nous sommes disputé la garde de mon matériel de camping. Du moins, il me semblait bien qu'il m'appartenait en entier... Depuis un an maintenant, elle se laisse aimer par tous ceux qui demandent la permission. Elle ne s'ennuie pas. Toutefois, elle m'a affirmé qu'elle n'en avait pas rencontré d'aussi rapide que moi. Pour cela, je suis toujours le champion en titre.

— J'ai pas un sou, j'ai dit. Tu devrais t'en douter.

— J'vais t'payer l'entrée !

Habituellement, ces propos me réjouissent.

— Non. C'est pas nécessaire. Ça m'tente pas vraiment !

— Envoèye ! Viens donc !

Andrée, il ne faut pas la contrarier. Sinon, c'est la paire de baffes. Heureusement, nous étions au téléphone.

Tel un rusé renard, j'ai fait changer sans prévenir le sujet de conversation :

— Pico te cherchait cet avant-midi. Il voulait s'excuser parce que tu lui as foutu une claque.

Pendant un certain temps, elle n'a pas émis le moindre son. Puis :

— J'commence à en avoir assez de c'gars-là ! Et elle a raccroché.

J'ai mis mes lunettes fumées. Déjà, ma feuille blanche m'apparaissait moins vierge. J'ai ensuite fait le tour de ma chambre sur ma chaise à roulettes et cela ne m'a rien inspiré. J'ai inspecté les ongles de mes doigts et les lignes de ma main. S'il survient une attaque nucléaire dans cent ans, est-ce que les humains de la planète auront la ligne de vie qui s'interrompra au même endroit? Si on gratte assez fort, est-ce que l'on peut espérer vivre plus longtemps? Est-ce qu'un manchot n'a aucune espérance de vie?

J'ai fait le tour de mes deux mains puis j'ai retiré mes bas et j'ai inspecté mes orteils. J'ai toujours des bas blancs et pourtant, les « biloux » qui s'insinuent entre mes doigts de pied sont noirs. Il paraît que la santé de nos pieds correspond à notre santé générale. Je dois puer en maudit. Si un chien portait des souliers, puerait-il des pieds? Et s'il portait des espadrilles, courrait-il plus vite?

Décidément, l'inspiration ne provient pas des pieds. Et maintenant, la radio m'envoyait du Cabrel. J'avais bien besoin de ça. J'ai coupé la radio et mis mon album de Lou Reed sur la platine. Au moins, lui, je ne comprends pas ce qu'il raconte.

J'ignore si Lou y est pour quelque chose mais sans crier gare j'ai eu un flash! Superstitieux, j'ai changé de feuille blanche. J'avais maintenant jusqu'au titre en tête. Ça allait être une histoire terrible! À moi le prix Concours!

Voici mon tout premier roman :
COMMENT RÉUSSIR À MOURIR
AVEC 237 DOLLARS EN POCHE
par François Bruyand

Si Robert Poissan avait su qu'il allait mourir ce jour-là, il serait probablement resté couché. Que voulez-vous ? La vie nous réserve parfois de ces surprises ! Dans une même journée, dans aussi peu que vingt-quatre heures, la vie vous enrage, vous soulage, vous fait rire, vous fait de la grosse pei-peine, ne vous fait rien du tout ou vous tue. Une personne peut bien vous téléphoner et vous apprendre que vous avez gagné une voiture. Dans la même journée, la même personne peut vous appeler et vous apprendre qu'elle s'est trompée de Poissan de la rue d'Orléans ! En mille quatre cent quarante minutes, une jolie jeune fille peut vous demander de sortir avec elle puis vous retéléphoner pour vous signaler qu'elle s'est malencontreusement trompée de Poissan de la rue d'Orléans. En quatre-vingt-six mille quatre cents secondes, le téléphone peut bien ne jamais sonner ! Bref, vis ta vie et prends les arrangements pour des préarrangements.

Ce jour-là, Poissan a choisi de se lever malgré tout ce que pouvaient lui réserver vingt-quatre heures. Il aime le risque comme certains aiment la saucisse. Il ne faut pas chercher à comprendre. De plus, comme chaque jour, Poissan ne s'est pas levé du bon pied, qui aurait été le droit, car on le lui avait amputé il y a de ça jadis. Pour bouder son père qui refusait de le laisser manipuler les boutons de la radio de la voiture, Poissan avait sauté du véhicule en marche. Heureusement, la familiale était immobilisée à un feu rouge. Poissan ne perdit pas son pied droit à cet instant. Il le perdit trois jours plus tard alors qu'il jouait paisiblement dans le carré de sable et de crottes de chats de son domicile. Un avion passant par là laissa tomber un moteur qui lui-même venait de laisser tomber deux cents passagers. Vous aurez deviné que le moteur, plus chaud qu'une crème de champignons, est tombé directement sur le pied gauche, heu, non, droit du pauvre petit Poissan. Ce n'était pas une perte totale, la présence du pied de Poissan ayant amorti la chute du réacteur.

Du même coup, Robert Poissan se retrouvait piedchot et orphelin car son papa, qui revenait du travail dans sa familiale, fut distraitement frappé par l'avion. Par chance, l'avion réussit à se poser sans trop de dégâts.

Heureusement pour moi, biographe improvisé de celui dont je demeurerai l'unique ami, la mort de Poissan-mère est beaucoup moins banale. En faisant frire des patates frites qui ne l'étaient vraisemblablement pas encore, elle répondit au téléphone. Elle replaça sa coiffure et on lui annonça qu'elle avait remporté un magnifique couvre-pieds entièrement fait à la main. Elle l'obtiendrait moyennant une réponse exacte à une question d'intérêt général.

– Je suis prête! déclara-t-elle.

– Qui inventa le métier à tisser? demanda la voix.

– Donnez-vous des indices? s'informa maman Poissan.

– C'est un homme!

– Alors, c'est monsieur Tisser! répondit-elle.

– Bien pensé! fit la voix. Toutefois, c'est monsieur Métier! Désolé!

– J'ai-tu une autre chance? osa madame Poissan.

– La voix réfléchit un bref moment.

– D'accord. Une dernière: Qui inventa les aiguilles à tricoter?

– Un homme ou une femme?

– Un homme! assura la voix.

– Alors, c'est monsieur Aiguille! s'exclama maman Poissan.

– Hum! Vous auriez dû y réfléchir un peu plus longuement! Cette fois, il s'agissait de monsieur Tricoter!

Sous le choc, venant de laisser passer la chance de remporter un magnifique couvre-pied, elle perdit connaissance et débloua le grand escalier où-il-ne-faut-pas-jouer. Son crâne ne fracassa rien du tout, mais sa jugulaire droite frôla juste assez un patin, un seul, qui se trouvait là alors qu'il aurait dû être ailleurs. Après deux minutes sans secours au bas de l'escalier, sa jugulaire ne jugulait plus. Nous étions en juin. Le patin n'avait rien à foutre là. Sans pourtant avoir servi depuis décembre, ce patin était désaffilé mais suffisamment coupant pour trancher la gorge de maman Poissan. Si l'on ne veut pas tuer sa mère ou retrouver ses patins désaffilés l'hiver suivant, vaut mieux les ranger.

Dix ans après cet incident malheureux, Robert Poissan a recommencé à rigoler. C'est son droit. Certains ne se seraient jamais remis de tant d'aventures ou d'autres en auraient fait un roman. Mais Poissan ne s'en fit pas. Et même s'il respirait la joie de vivre, il ne refit jamais de patinage car, ironie du sort, il ne retrouva jamais le second patin, celui qui correspondait au pied qui lui restait. Lorsque Poissan se sentait plaisantin, il nous racontait cette anecdote. Ses meilleurs amis riaient. Je, donc, riais seul.

Peut-être Poissan ne patinait-il pas, mais cela le sauva de plusieurs situations embarrassantes : il ne savait pas patiner.

Vous le savez, il existe un Dieu : Poissan avait un don pour les chiffres. Il arrivait à les additionner, les multiplier, les diviser et les soustraire. En plus, et surtout, il pouvait manipuler une calculatrice. Même sur la plus compliquée, il parvenait à écrire SOLEIL, BELOEIL, et à se servir des pitons en latin. Il a donc étudié pour devenir compteur agréé.

Mon père me répète souvent qu'il n'y a pas de sot métier. Poissan est resté mon ami. Grâce à son diplôme, il a réussi à se dénicher un poste dans une ferme comptable. Il est courriériste. Il serait riche ! prétendait-il. Il ignorait se trouver à la page d'aujourd'hui dans l'agenda de Dieu.

Résumons-nous, histoire de ne pas perdre le fil : Poissan s'est levé du mauvais pied. C'est là qu'on est rendu et c'est là que tout se termine. Eh oui, déjà.

Après être passé tout près d'attraper le métro à temps, – Poissan passe toujours près de quelque chose – il attendit le suivant. Pendant qu'il s'inquiétait sur le triste sort qui lui serait réservé s'il dépassait le pointillé jaune, des gens attendaient eux aussi le prochain métro, sûrement en se posant les mêmes questions existentielles. Jusque-là, même le dernier des parvenus ne croirait pas que Poissan mourra dans quelques heures. Et pourtant si !

J'ouvre ici une parenthèse. (Cette histoire est vraie. Jusqu'à maintenant, vous n'osez croire à tout ce qui survient dans la vie de notre héros. Pourtant, il s'agit bel et bien d'une vraie histoire.) Je referme ici la parenthèse.

À tous ceux qui n'ont pas osé se demander où se rendait notre ami, je me fais ici un plaisir de leur expliquer : lorsque madame Poissan est décédée des suites de ce que les médecins légistes ont appelé « un accident de patin »,

Poissan n'a hérité que du patin meurtrier. Pour se venger contre le destin, maman Poissan avait tout légué au demi-frère de notre héros, un Boston Terrier délinquant. On apprit beaucoup plus tard que c'est ce chien qui avait bouffé le deuxième patin de la paire par pur plaisir de destruction. Pour payer ses études, Poissan a emprunté au gouvernement libéral. Parce que Poissan était nul en philosophie, en français et en éducation physique, il a fait son cours collégial en sept ans. Aujourd'hui, travaillant pour sa ferme comptable, il devra travailler pendant douze ans pour rembourser cette dette et ensuite suer pendant cinquante-cinq ans pour rembourser les dettes que lui a léguées papa Poissan, un *gambler* malchanceux mais persévérant. En plus, Poissan-père ne payait pas ses impôts depuis Lesage. Il avait autre chose de plus sérieux à faire. Qui saurait l'en blâmer?

Poissan a bien tenté de convaincre son demi-frère de le soulager au moins des dettes de leur père, mais Poupon – c'est son nom – a refusé, prétextant que monsieur Poissan n'était pas son père naturel. Du moins, c'est ce qu'a mentionné le médecin vétérinaire qui a traduit les propos du Boston Terrier avant de devenir l'unique héritier du pitou.

Notre héros, donc, s'en allait quérir sa paie de courriériste «baccalauréatisé» pour subsister jusqu'à la semaine prochaine et peut-être s'offrir un *peep-show* à trente sous.

Pour passer le tourniquet du métro, Poissan déboursa son dernier denier. Il se retrouvait sans le sou dans la métropole métropolitaine, là où il y a tant de gens de toutes les marques. Mais, surtout, dans cette grande ville, il y a des fous furieux...

Faisons comme si le métro était arrivé. C'est plus simple que de l'attendre, sinon je me devrais de vous décrire la couleur des murs, l'odeur qui règne et tout ça. Poissan y embarque. Remarquez que Poissan ignore toujours le terrible sort qui l'attend. Je ne vous souligne cela que pour augmenter le suspense.

Le voyage se fera sans pépin majeur. Seul un monsieur qui venait de travailler très fort est venu s'asseoir trop près de lui. Le type lisait *The Gazette* et cela aurait suffi, vous en conviendrez, pour l'abattre sur-le-champ. Je ne suis pas raciste ; je suis écrivain.

Poissan garda son calme. Il le tenait à deux mains. Serrées. Station Peel – ce mot ne veut absolument rien dire autant en français qu'en anglais – Poissan débarque. Il est toujours vivant. Il se faufile dans la foule jusqu'au bureau de la ferme comptable. Il y croise un tas de gars avec des cravates qui sentent bon, mais il fait tout de même semblant que cela lui est égal. Il a deux ou trois honneurs. C'est peu, mais il y tient. C'est tout ce qui lui reste depuis que sa blonde l'a quitté pour un type costaud qui connaissait tous les règlements du football.

Comme si des gens pouvaient s'intéresser au football !

La dame préposée aux paies dépose sa bouteille de Cutex, enlève son pied de sur son bureau et accomplit son devoir. Poissan fouille l'enveloppe : deux cent trente-sept dollars sur un chèque avec tout plein de dorures et de simagrées. Il sent qu'il va pleurer mais n'y parvient pas. Poissan passe toujours près de quelque chose sans jamais y arriver.

Pour encaisser son chèque, il se rend au rez-de-chaussée de l'immeuble où se trouve sa ferme comptable. C'est son tout premier chèque de paie. Il jubile. Il pénètre dans la banque. L'odeur du marbre et du fric lui saute au nez : il sait immédiatement qu'il s'y sent bien, qu'il est dans un milieu qui ne peut que lui ressembler.

Au fil de son attente en file, son enthousiasme s'estompe. Après vingt longues minutes d'attente, Robert Poissan a enfin droit à son tour. La caissière qui le reçoit est grosse et laide. Elle ne sourit pas mais elle est certainement mariée ou syndiquée. On voit tout de suite qu'elle a de l'ancienneté.

– Ouais ? demande la dame.

– Je viens encaisser ce chèque ! répond Poissan, fier.

– T'as-tu un compte icitte ?

– Non.

– Bin ! On peut pas te l'changer ! affirme la torche.

— Écoutez madame, ce chèque, comme vous pouvez le constater, est émis par la ferme comptable située à trois étages d'ici. Si vous doutez de moi (tout le monde doute de Poissan), vous n'avez qu'à lâcher un coup de fil à la secrétaire! osa Poissan.

— Votre secrétaire ne répond jamais!

— C'est peut-être parce que son Cutex n'est pas sec!

— Écoute mon p'tit gars, mâcha la grosse, si tu veux absolument changer ta paie, t'as juste à aller chercher un autre employé qui a un compte icitte! C'est la politique de notre banque!

— Je ne suis pas sûr que quelqu'un, là-haut, a vingt minutes à venir perdre ici! termina notre héros.

— Dans c'cas-là, j'peux rien faire pour toué!

La mine basse, Poissan sortit de la banque. Malgré la connerie de la situation, il était resté poli. Il y a de quoi être fier. Il avait appris à être poli à l'orphelinat où les frères l'enculaient lorsqu'il n'était pas assez gentil. Il a eu beaucoup de mal à s'adapter au genre de gentillesse qu'exigeaient les frères. Quand il eut enfin maîtrisé la politesse et la gentillesse, il n'avait plus mal.

Se souvenant de la caissière qui lui demandait s'il avait un compte dans cette banque, Poissan se souvint qu'il avait un compte dans une banque impériale de commerce. Et dans ce coin de la métropole, il y a une banque à tous les coins de rue.

Persuadé que la planète ne lui était pas complètement hostile, il poussa la porte de la succursale de sa banque. Il se plaça à la toute fin de la file. Après trente-cinq minutes, il eut enfin droit à sa chance. La caissière était mignonne. Du moins, on pouvait voir la majeure partie de ses seins. Poissan banda et sourit.

– Bonjour! Je viens gaiement encaisser mon chèque!

La caissière dévisagea notre héros sans savoir qu'il en était un – sinon, elle aurait agi autrement, croyez-moi, puis elle a regardé le chèque. Elle mâchait une gomme beaucoup trop petite pour nécessiter tant de vains efforts. Peut-être voulait-elle se raffermir les seins par ces exercices? En tout cas, elle devait vouloir maigrir pour mâcher autant.

– Vous avez un compte ici?

– Pas ici, mais j'en ai un dans une succursale de votre banque dans une autre ville.

– Vous avez la carte Visa?

– Heu... non.

Devant une caissière de banque, il ne faut jamais dire non. Poissan l'ignorait. Autant que l'auteur ignore qu'il ne faut jamais dire jamais.

– Dans ce cas-là, on peut pas vous prendre votre chèque.

Décidément, toutes les caissières de la terre sont bouchées. Poissan a tout de même gardé son sang-froid, malgré qu'on était en juillet en pleine semaine d'été. La deuxième de juillet, pour être plus précis. Si vous êtes vieux, vous étiez sûrement en vacances lorsque cette aventure arriva.

– Je suis dans une banque, avoua notre héros. J'ai un compte dans une succursale de votre banque dite « impériale de commerce de cul » (Poissan n'a pas dit « de cul ». Ce n'est que l'auteur qui fait du style.) Je veux encaisser un chèque de deux cent trente-sept dollars. Si je ne peux pas l'encaisser ici, où pourrais-je le faire, nom de Dieu ? (Il a vraiment dit « nom de Dieu »).

– Écoutez jeune homme, si vous voulez vraiment encaisser ce chèque (quelle conne !) vous avez juste à vous rendre à la Banque Royale qui a émis ce chèque de votre employeur ou vous rendre à votre succursale de notre banque. On peut rien faire.

– Merci, conclut sèchement notre héros. Je ne dois pas être habitué d'avoir de l'argent.

Poissan, les larmes de rage lui pendant aux yeux, quitta cet endroit maudit, ce sanctuaire de bidous et des gros bides. Heureusement, il y avait une Banque Royale juste à côté. Il s'y rendit et attendit tout près de quinze minutes et d'une grosse dame qui puait le Westmount.

– Payez-moi ce chèque ! ordonna notre héros qui n'en était plus un à la caissière laide, qui ne montrait pas ses seins et c'est tant mieux.

Lorsqu'une dame n'ovule plus, elle devient caissière dans une banque. Triste société. Les directeurs de banque sont généralement aussi moches que leurs caissières. À croire que ce sont leurs épouses qui embauchent le personnel. À moins que ce ne soit la preuve du dicton « chaque torchon trouve sa guenille », comme le répétaient les frères de l'orphelinat qui sortaient avec Jésus.

— Avez-vous un compte ici ? dit la caissière, se croyant originale.

— Non, mais je crois que mon employeur en a un. Voyez de plus près ce chèque et vous remarquerez qu'il y a l'effigie de votre putain de Banque Royale : un lion qui a le feu au cul !

Poissan venait d'être joliment impoli. Il serrait maintenant les fesses. Réflexe conditionné, tel « le chien Pavlov ».

— Ce chèque est émis par une autre succursale. Si vous n'avez pas de compte dans notre succursale, vous devez vous rendre à la succursale émettrice de ce chèque.

— Où est-elle située cette foutue succursale de merde ? demanda Poissan sur un ton doux.

— À Trois-Rivières.

— C'est à combien de minutes d'ici, à pied ? risqua Poissan.

— Montréal-Trois-Rivières ? Hum...

Pendant que la caissière calculait en minutes la distance entre ces deux villes à pied dans le plafond de sa tête, notre simili-héros avait déjà pensé s'y rendre en taxi. Mais avec quel argent?

– Hum, trois ou quatre jours! répondit la nouille qui ne semblait pas être sûre des chiffres qu'elle avançait.

– D'accord, fit Poissan. Pour encaisser ce chèque, je dois avoir un compte ici?

– C'est le règlement.

– Dans ce cas, je souhaite ouvrir un compte dans votre charmante succursale. Est-ce possible?

– Certainement! Suivez-moi!

Poissan suivit la dame. Derrière son comptoir, on ne pouvait apercevoir le cul de la grosse. Maintenant, traversée de ce côté, on ne pouvait concevoir qu'elle puisse se déplacer.

La semi-remorque conduisit Poissan jusqu'au bureau de monsieur Office, véritablement directeur.

– Yes sir? émit le monsieur qui avait une cravate bleu et jaune pour que les gens remarquent son veston beige.

– Désoled, fit Poissan. I don't speak inglitche.

Le type soupira, se leva en murmurant des choses en anglais (peut-être sa liste d'épicerie) sortit du bureau puis revint après de longues minutes avec une jeune femme.

– Je peux vous aider? demanda la femme.

– Oui. J'aimerais que vous disiez à monsieur Office que je souhaite ouvrir un compte pour pouvoir changer ma paie.

La dame émit des borborygmes avec sa bouche à l'endroit de monsieur Office. Celui-ci répondit par les mêmes bruits. Le plus drôle c'est qu'ils semblaient se comprendre. En discutant, la dame laissait filer des sons aigus, un peu comme un solo de Clapton. Poissan trouvait cet accent charmant. Puis, elle se tourna vers lui :

– Tu peux ouvrir un compte, affirma la fausse blonde, mais tu ne pourras pas toucher à ton chèque avant deux semaines pour vérification.

Poissan se mit à pleurer. Pas trop mais assez pour mettre monsieur Office dans l'embarras. La vraie brune le prit par le bras et le conduisit jusqu'à la sortie.

Seul dans Montréal, sans le moindre pognon sinon un pauvre chèque inutilisable, Poissan erra. Fouillant désormais les poubelles pour survivre, il frôla la prostitution. Pour se nourrir, il chassa les mouettes, les chats et les rats. Ne pouvant s'acheter des allumettes pour faire un feu, il mangeait tout cela cru.

Un jour, un de ces jours pourris comme novembre en compte au moins trente, les chats étaient restés à l'intérieur, les mouettes s'étaient envolées vers des stationnements de McDonald's plus cléments et les rats mordaient notre ami.

Un autre jour, on me téléphona. C'était la police. Ils venaient de retrouver le corps de

Poissan en décomposition avancée. Grâce au chèque, ils avaient pu établir son identité. Ce con (il n'est plus mon ami depuis) m'avait nommé exécuteur testamentaire. Pour payer les frais de sa cuisson, le pot Mason et la niche mortuaire où il repose désormais en paix, j'ai encaissé le chèque qu'il avait signé peu avant sa mort au dépanneur « Chez Ginette ». Une chic femme !

FIN

Wouah ! Terrible ! Quelle histoire, n'est-ce pas ? J'étais rudement fier de moi. Trois heures, beaucoup de bières et de cafés, et hop ! Un roman !

Je ne pouvais garder toute cette fierté pour moi. Qu'est-ce que ça donne de dresser la queue si on est seul ? Le paon lève-t-il la queue quand il est seul ? On l'ignore : il est seul.

Il était tard mais Pico niaiserait sûrement au Bistrot, sirotant une Bleue, une Rouge ou n'importe quoi. Je glissai les dix pages de mon roman dans une belle enveloppe et fis démarrer tant bien que mal ma Pontiac 73 gâteuse.

Pico niaisait bel et bien au Bistrot mais il ne niaisait pas seul. Andrée niaisait à ses côtés. Christ. Moi qui pétais le feu, je me devrais de ne péter que pour moi-même. À voir la tête qu'ils faisaient, j'ai deviné qu'ils discutaient de leur vie de couple à sens unique. J'ai également deviné qu'Andrée avait demandé à Pico de l'accompagner au cinéma. Je n'ai pas des qualités de devin ou un petit doigt avec une grande gueule ; je les connais trop.

— Salut ! me dit Andrée, visiblement heureuse de voir arriver quelqu'un pour la soustraire à la tirade de Pico.

— Salut ! j'ai simplement répondu. Salut Pico !

Je crois que Pico aurait préféré me voir loin. Très loin. Quelque part comme ailleurs. Je n'étais plus emballé. Sans m'avoir répondu, Pico s'est levé pour aller pisser. J'aurais dû rester chez moi et m'endormir sur les informations télévisées.

— Une chance que t'es arrivé, m'a tout de suite lancé Andrée.

— Pourquoi t'es là ? Avec Pico ?

— Finalement, je l'ai invité au cinéma... en ami.

— Pico va se faire tout plein d'illusions ! j'ai maugréé.

— C'est déjà fait. Avant que t'arrives, il essayait d'me convaincre d'essayer de l'aimer.

— C'est con, j'ai seulement laissé tomber.

Ce genre d'histoires m'ennuie beaucoup. Je n'achète pas de ce genre d'histoires qu'on vend dans les dépanneurs tout près des serviettes hygiéniques. Je n'étais plus du tout enthousiaste. Je me suis rendu au bar me chercher une grosse Molson, dernier élément positif de ma visite dans ce trou. Pendant que je fouillais mes poches pour rassembler quatre dollars, Pico est revenu des toilettes. Il avait la tête d'un type qui vient de perdre son chien... À moins que je n'aie été le chien qui venait troubler sa partie de quilles. Je suis revenu m'asseoir. Andrée s'est levée pour aller pisser.

Pico ne pipait mot.

— Pis? Comment ça va? j'ai commencé, hardiment.

— Bah.

— À part de ça?

— J'pense que ça va marcher avec Andrée! murmura-t-il.

— Ah ouais?

Pico c'est mon copain. Qu'est-ce que je fais? Je lui dis qu'Andrée ne veut absolument rien savoir et il sait à quoi s'en tenir, ou je ne dis rien et il est heureux? Dans ce genre de situations, je me tais.

— Ouais! il a poursuivi. Je sens que je touche au but! À soir, elle m'a invité au cinéma avec elle!

— Peut-être qu'elle voulait juste que tu l'accompagnes en ami?

— J'pense pas!

Il était sûr de lui. Tant pis, je me tais pour de bon. Sur ce fait, Andrée revenait. Pfiou!

— Qu'est-ce qu'il y a dans ton enveloppe? elle a demandé en s'asseyant.

Zut. Je ne voulais plus en parler. J'aurais voulu lui répondre que c'était rien, des épreuves de photos de ma mère ou quelque chose du genre. Mais ma bouche a répondu :

– C'est mon roman !

Naturellement, Andrée a fait : « C'est ton combientième ? » En fait, c'était la toute première fois que je me rendais à dix pages. Toutes mes autres tentatives avaient plus ou moins avorté après deux ou trois pages plus ou moins noircies intelligemment.

– Montre voir ! a lancé Pico qui, maintenant, se fendait la pipe. « Comment réussir à mourir de faim avec deux cent trente-sept dollars en poche », pas terrible comme titre ! C'est beaucoup trop long ! T'aurais été mieux avec « La mort » ou quelque chose comme ça !

Je n'ai rien répondu. Dans ma tête, pourtant, je me répétais : « Attends que j'aie besoin d'un dentier ! »

À chaque page qu'il terminait, il me regardait en souriant. Je déteste quand il sourit. Andrée ramassait chaque page terminée et la lisait à son tour.

C'est court dix pages. Pico a, bien sûr, terminé le premier. Il ne souriait plus.

– C'est tout ? il demanda.

– Quoi ?

– Poissan est mort et t'as que dix pages ! Ça fait pas un roman très long ! Même que c'est pas un roman pantoute !

– Ouais, peut-être, j'ai fait, mais si vous me dites que vous aimez l'histoire, j'peux l'étirer à deux cents pages !

Pico n'a pas répliqué. Il regardait Andrée terminer sa lecture. Il semblait attendre un appui. Soudainement, j'ai été pris d'un énorme cafard. Andrée a terminé la dernière page. Elle ne disait rien. Elle regardait plutôt la table.

— Crisse! Dites quelque chose!

Andrée a brisé le silence :

— T'es pas sérieux quand tu dis que tu peux étirer ton histoire sur deux cents pages?

— Si! j'ai dit.

Pico est passé à l'attaque :

— Ton personnage principal est pas crédible pantoute, l'histoire est débile raide pis c'est bourré d'erreurs monumentales! Penses-tu sérieusement qu'un lectorat moyen endurerait deux cents pages de ça?

J'ai détesté la façon dont il a prononcé « ça ».

— C'est un peu comique, a ajouté Andrée. Sauf que ce n'est pas assez comique pour faire deux cents pages! Un éditeur lirait ton truc jusqu'à la page trois pis te retournerait ton manuscrit avec « Vous êtes habile de vos mains : travaillez donc le bois. »

— Il y a sûrement des éléments positifs!

C'est moi qui ai dit cela.

— Ouais, a hésité Pico.

— Ouais quoi? j'ai demandé. C'est quoi les points positifs?

— Hum, a humé Pico.

Andrée est venue à sa rescousse :

— Ben... C'est un peu comique!

– C'est tout ?

C'est encore moi qui parlais, là.

Sur un ton dissimulant une diplomatie maladroite, Pico a commencé :

– Y faudrait que tu travailles plus ton style.

– Qu'est-ce que tu veux dire ? j'ai osé.

– Ben... heu... ton style ! il a hésité.

C'est de la pure connerie cette histoire de style. Les Técrivains écrivent comme ils écrivent et c'est tout ! Ce qui différencie les Técrivains, c'est qu'ils n'écrivent pas de la même façon ! Ils n'ont pas regardé dans un catalogue pour se choisir un style en particulier ! Leur façon d'écrire est différente parce que tous les Técrivains sont différents ! Merde !

Le problème, c'est que je me disais ces choses dans ma tête et qu'ils ne m'ont pas entendu.

Andrée a insisté :

– Si t'as déjà lu un livre de Philippe Djian, tu saurais qu'il dit souvent que chaque phrase doit être parfaite ! Chaque phrase se doit d'être conforme à son style !

– Andrée, j'ai dit à Andrée en la regardant droit dans les yeux, je me fous complètement de ton Philippe Chiant !

– C'est pas fou ce qu'Andrée est en train de te dire ! a répliqué Pico.

Lui, on sait bien de quel côté il penche !

– Moi, je crois pas à ça ! j'ai maintenu. Le style, c'est bon pour les critiques !

— De toute façon, a poursuivi Pico, il y a pas juste le style qui est pas correct dans ton « roman ».

— Qu'est-ce qu'y a d'autre?

— Plein de détails!

Maintenant, Andrée unissait ses forces aux siennes:

— Ton histoire est invraisemblable! Autant dans la narration que dans le sujet!

— C'est une histoire vraie! j'ai opposé. Ça m'est arrivé pour vrai! Sauf les mouettes et tout ça.

— On y croit pas du tout! a appuyé Pico. Andrée a continué:

— Pourquoi il ne s'est pas rendu au dépanneur ton héros?

— Pour que l'histoire finisse bien! j'ai répondu en souriant. (Je suis un type moqueur mais j'adore ça!)

— Aussi, c'est plein d'expressions qui n'ont pas de bon sens!

— Exemple?

— Heu... il a fait en fouillant les feuilles. Ici! Tu dis et je cite: « Poissan se mit à pleurer. Pas trop mais assez... » Qu'est-ce que ça veut dire? Y braille-tu ou y braille pas?

— C'est mon style!

À partir de cet instant précis, je me foutais complètement de tout ce qu'ils disaient. Je ne souffrais plus. J'ai pris la dernière gorgée de ma bière chaude et j'ai remisé mon roman dans son enveloppe moche. J'ai remis mon veston que j'ai oublié de dire que j'avais ôté.

– Tu t'en vas? s'inquiéta Andrée.

– Ouais, j'ai dit. J'ai déjà perdu assez de temps aujourd'hui. Je devrais dormir depuis longtemps.

Je n'avais aucune envie de rester à écouter Pico plaider sa cause. Il tenterait sûrement d'obtenir une injonction lui permettant de mettre son pipi dans le pipi d'Andrée. J'aurais dû rester chez moi.

– Tu t'en vas parce qu'on a critiqué ton texte? s'imaginait Pico.

– Tu sais, ton humour est toujours aussi bon! a continué Andrée. On le sent bien! Y a juste ton style que tu devrais retravailler!

Quel humour? Je n'ai pas écrit une histoire comique! C'est un drame! Le type meurt! Quel humour? J'aurais dû rester à la maison. Le lendemain, je retournais chez ma blonde à Montréal.

3

Si j'écrivais un roman, aujourd'hui, je ne narrerais pas l'épisode de ma rencontre avec Lili.

Lorsqu'Andrée m'a quittée, j'ai eu une phase «homme seul»: je buvais trop, je lavais mon auto trois fois par semaine, je riais fort avec des copains de fortune aussi célibataires et saouls que moi. Aussi, je rentrais seul après une soirée passée à espérer quelqu'une pour partager mon lit. Après un mois, j'avais atteint ce qu'il convient d'appeler le bout de la marde. Toutes les filles que j'abordais me répondaient poliment qu'elles avaient déjà un chum. Moi, mes chums, ils étaient tous libres!

Puis, j'ai commencé à me négliger: je me lavais moins souvent que ma Pontiac et je ne conversais plus qu'avec des hommes. Au moins, mes ennuis mécaniques préoccupaient quelqu'un. C'est à cette époque que je fis la connaissance de Robert Dubeau. Un type vraiment marrant. Il quittait toujours le bar après moi. Le lendemain, il avait ce genre de conversation avec moi:

– J'ai rencontré une cristie de fille hier!

Ça, c'est lui.

– Ah ouais?

Ça, c'est moi.

– On a fait l'amour toute la nuit!

– Ah ouais?

– Pendant quatre, cinq heures de file!

– Qu'est-ce qu'il y a à faire pendant quatre, cinq heures?

– Ben, il répondit, disons deux, trois heures de file.

– On s'entend pour dire deux heures? Je suis marchandeur.

– C'est ça: une heure et demie, deux heures! As-tu déjà fait l'amour avec un miroir au plafond?

– Non! J'aurais eu l'air de quoi?

Quand je bois, j'en pousse parfois des capables. Relisez les deux dernières répliques.

– J'veux dire faire l'amour avec une femme sous un miroir! As-tu déjà fait ça?

– Une fois! Et je n'ai rien vu!

– La prochaine fois que tu pognes une fille, demande-lui si elle a un miroir au-dessus de son lit!

Toutes les « cristies de filles » avec qui il a fait l'amour toute la nuit ne revenaient jamais au bar où nous assumions notre célibat. Un soir, sans être prévenu par mon horoscope que j'épiais quotidiennement, une jeune fille que j'observais discrètement depuis quelques semaines déjà, vint à moi :

— Qu'est-ce que t'as à m'regarder comme ça ? À m'fixer ?

— Ben... Heu... J'vous trouve jolie, c'est tout !

Moi, les filles jolies, je les vouvoie. Elles me gênent terriblement. Je deviens rouge et con. Souvent, après deux phrases, elles abandonnent et me laissent seul avec moi-même. Par contre, lorsqu'elles sont grosses et moches, je suis à l'aise et je peux me montrer sous mon meilleur jour. Je ne fais jamais les premiers pas. Ainsi, à la première dispute, je peux utiliser l'argument décisif : « C'est pas moi qui ai fait les premiers pas ! »

Son regard méprisant s'était transformé en deux yeux doux et sauvages. Les filles, il suffit de leur dire qu'elles sont jolies et elles deviennent aussitôt moins agressives. Cependant, ne dites pas à une fille moche qu'elle est jolie : elle vous frappera au visage.

— C'est quoi ton nom ?

— Heu... François, j'ai balbutié.

— François quoi ?

— Non ! François Bruyand.

Je bafouille un brin. En plus de ses deux jolis yeux bruns comme des cacahuètes foncées qui m'inspectaient, ses seins pointaient le paquet de cigarettes que je portais sur mon cœur.

— Moi, c'est Lili !

— C'est bien.

Cette réplique n'exprime pas un désintérêt mais plutôt une gêne grandissante. Avant qu'elle n'aille plus loin, j'ai tenu à mettre les choses au point :

– Il faut que je te dise que je suis un éjaculateur précoce, je suis colérique, instable, je pète au lit et je n'ai aucun avenir pour le futur !

– En plein mon genre !

J'ai tout de suite adoré sa tolérance et son humour. Elle allait devoir s'en servir.

Après quelques consommations, je lui ai proposé de la reconduire chez elle. Allergique au froid, ma Pontiac n'a pas démarré. Elle m'a alors annoncé qu'elle était venue en voiture et m'a conduit jusque chez elle, quelque part à l'orée d'un village jeté au milieu d'un « neigeux désert », comme il en a poussé des dizaines autour de Saint-Hyacinthe. J'ai déjà lu que les filles de la campagne sont plus cochonnes que celles de la ville. Je ne dois pas avoir des lectures recommandables.

Cette nuit-là, nous n'avons pas dormi. Nous avons plutôt jasé et fait d'autres choses marrantes. Je n'ai pas pété mais je devais avoir mauvaise haleine. Elle m'a enduré et continua de le faire jusqu'à ce lendemain de mon affrontement de la critique. Andrée et Pico n'y étaient pas allés de main morte : j'avais mal dormi.

Quand Lili est revenue de son collège anglocul à l'appartement où je loge parfois sans frais, ça faisait deux heures que je me trouvais devant sa dactylo à boire son café dans la chaleur de son logement. Elle étudie dans un collège anglocul parce qu'elle veut maîtriser cette langue de vipère. Chaque fois que je visite Montréal, je pratique mon anglais. Je ne le perds pas : j'y vais souvent.

Je n'avais pas abandonné l'idée d'écrire un roman. Cependant, si j'affrontais encore une dactylo et une feuille blanche, c'était pour gagner ma vie. Dans la vie, j'occupe le poste de scripteur à la pige pour une émission de télévision dite d'humour. Il ne s'agit pas d'une émission comique, mais le public est habitué à ne pas rire lors de programmes télé humoristiques. Les gens trouvent cela drôle mais ne rient pas. Allez donc comprendre quelque chose ! Il y a mon nom à la toute fin, dans les génériques que personne ne lit.

Il n'existe probablement rien de plus déprimant, d'aussi vidant que d'écrire des sketches drôles. Heureusement, lorsque je propose un sketch acceptable, la rémunération est plus qu'acceptable. Malheureusement, aucun de mes textes n'a encore été joué.

Deux heures ! Voilà deux heures que je m'arrachais les cheveux devant une feuille blanche à la lueur d'un soleil gris qui essayait de passer au travers des vitres noires. Dactylo noir sur lequel se baladait un chat blanc. Si je l'avais laissé faire, mon sketch se serait intitulé *rytuvbaex*. Il n'a aucun talent : c'est un minou.

J'aimerais vivre comme un chat : manger, dormir, chier et me faire flatter. Être un chat, c'est vachement mieux que d'être un chien qui doit promener son maître, écouter ses discours et faire ses besoins dehors l'hiver. Je veux être un minou.

Je crois que ma feuille ne changeait pas de couleur parce que j'avais rudement envie de faire plein de choses vicieuses et mal avec Lili. Ça occupait toute ma tête. J'attendais son arrivée avec hâte. Par association d'idées, j'ai pensé à mon roman. Je questionnais mon moi-même pour savoir si Lili accepterait que je décrive nos ébats amoureux et sexuels dans des bouquins que des gens qu'on ne connaît pas liraient dans le métro ou dans des chambres d'hôtel où on fait des siestes. Reparlerait-elle avec une copine qui lui dirait : « Wouah ! Terrible ton chum ! » ou pire encore : « Pas vargeux au lit ton mec ! » Si elle acceptait, me demanderait-elle d'en mettre un peu plus ? De censurer les meilleurs moments ? Comment pourrais-je regarder mes beaux-parents dans les yeux après avoir décrit avec moult détails comment je pénétrais leur fille unique ? Ma mère, ma propre mère continuerait-elle à recevoir Lili si elle apprenait que l'amour de ma vie avale ma sève goulûment ?

Et si Lili refusait de voir nos ébats portés aux yeux du peuple, accepterait-elle de me voir décrire une partie de fesses où son héros baiserait avec n'importe qui? Et si mes descriptions érotiques semblaient plus passionnantes que nos relations de la vraie vie? Sa mère croirait-elle que Lili est cocue? Si j'écris ce roman un jour, il n'y aura aucune scène érotique. Au moins, mon livre pourra être étudié dans les écoles secondaires sans offenser les comités de parents qui, eux, n'ont jamais eu de relations sexuelles.

La porte d'entrée s'est refermée tout juste comme j'allais décider d'abandonner et d'écrire une parodie. J'ai quitté ma dactylo, ou plutôt la sienne, et j'ai ouvert le robinet. Lorsqu'elle est apparue dans la cuisine, je venais de mettre le savon à vaisselle.

— Allo mon ti-lou!

C'est Lili qui parlait. Elle m'appelle de tout plein de façons différentes. Ce jour-là, c'était ti-lou.

— Salut! j'ai simplement répondu.

— Hon! Tu faisais la vaisselle? C'est gentil!

Je suis gentil la plupart du temps. C'est pour cette raison que Lili m'endure toujours. Elle tolère mes cafards hebdomadaires et ma paresse légendaire. Même lorsque je suis déprimé, je suis gentil et tout plein d'attentions et tout ça. Je ne reste jamais déprimé bien longemps car Lili s'en fout carrément. À quoi bon continuer à broyer du noir si ça ne préoccupe personne?

Elle a vu la dactylo et la feuille blanche:

– T'as essayé d'écrire quelque chose ?

– C'est comme tu dis, j'ai marmonné. J'ai essayé.

Elle a tout de suite vu que ça n'allait pas, que le moral n'y était pas. C'est pour cela qu'elle est restée distante. Elle ne se mêle pas de mes affaires. Elle s'en moque complètement. Quelque part, c'est sûrement motivant. Mais où ? Avant de la connaître, j'avais des galons dans le domaine du « faire pitié ». Par manque de pratique, je n'y parviens plus.

Lili a pris un linge et a commencé à essuyer la vaisselle que j'avais presque lavée.

– Pis ? Tes cours ? j'ai osé.

– Ça va bien.

– C'est quoi ça « ça va bien » ?

– Ben... Ça va bien. J'ai pas d'problème.

Je n'ai pas insisté. Je n'insiste généralement jamais. Ça m'emmerde d'insister. Les gens qui insistent m'ennuient profondément. Je me suis entouré de gens qui n'insistent pas. Les gens qui insistent ont toujours raison. Je préfère converser avec ceux qui ont tort. Bon. Je n'insiste pas.

Après la corvée de la vaisselle, on s'est mijoté un café au micro-ondes. J'aime le café de cette façon, désolé pour les maniaques de cafés raffinés. C'était mon cinquième depuis mon arrivée chez Lili. Il était treize heures.

Après avoir bu tout près de la moitié de ma mixture, j'ai profité de l'absence de la colocataire de Lili pour me rendre aux toilettes faire du raffut et laisser des traces humaines afin que le chat ne doute jamais que cette zone est notre litière. Bien sûr, comme à chaque fois, la coloc a tiré parti de mon indisposition pour arriver. Elle le fait exprès, j'en suis sûr. Je me trouve ainsi dans un immense embarras, surtout que je ne contribue pas au loyer. En plus, j'ai beau payer ma part d'épicerie, ça pue tellement que la coloc m'accuse de gaspiller la nourriture. Je lui répète que je n'y peux rien, que c'est héréditaire, que tout ça, elle ne veut absolument rien entendre. Lorsqu'elle se trouve à l'appartement et qu'elle apprend que je me rends aux toilettes, elle s'informe du contenu et de la densité de mes commissions. Si, par hasard, j'ai besoin de faire le vide assis, elle m'indique la porte. Je traverse alors la rue et me rends au restaurant du coin où, à force de beaux yeux, j'ai convaincu la grosse propriétaire d'être tolérante, que je n'y peux rien, que c'est héréditaire, tout ça.

Lili prend toujours la défense de sa grosse nouille de colocataire. Je ne lui en veux pas parce qu'elle est grosse : je lui en veux parce qu'elle est nouille. Elle étudie en coiffure. Voilà deux mois, elle a taillé le chat comme un caniche, le rendant ainsi anorexique, timide et, je crois bien, sourd. Fille de coiffeuse et de camionneur, elle revient de ses fins de semaine avec tout plein d'anecdotes.

La grosse m'attendait à ma sortie des toilettes :

– Qu'est-ce que je sens?

Elle me regardait de ses yeux cachés derrière deux kilos de pâte à modeler colorée. Elle ne rigolait pas du tout.

– Deux boulettes de bœuf haché, une patate pis du maïs en canne que je n'arrive malheureusement pas à digérer! j'ai répondu calmement.

Elle a aussitôt tourné les talons pour rejoindre la cuisine pour m'accuser de chier, en prenant Lili à partie:

– Lili, a dit la grosse, tu sors avec un mutant! Le jour que tu le maries, j'm'oppose! Pour ton bien!

Elle s'est retournée vers moi. Je l'ai observée en faisant les yeux croches. Sa gueule demeurait ouverte. Puis j'ai seulement dit: «Le fruit de mes entrailles est béni». La grosse s'est pressé les nichons en faisant des «pouette! pouette!» avec sa bouche. C'est sa façon à elle de me signifier son dégoût et son indignation. Moi, elle m'écœure tout simplement.

Lili s'amuse beaucoup de ces situations. Parfois, elle en ajoute, allant jusqu'à m'accuser d'aller aux toilettes chaque fois que la grosse est à ses cours. Lili m'a même un jour proposé de vivre avec la grosse lorsque nous serions mariés. Ça ne risque pas d'arriver: si la grosse vit avec nous, c'est uniquement parce qu'elle réduit les coûts du logement. Et si elle doit vivre avec nous une fois mariés, je n'épouserai pas Lili. Voilà!

Ginette – c'est son nom – est grosse, vulgaire et intolérante. Elle prétend qu'elle a perdu sa virginité. Je suspecte son colley que sa mère amène chaque fois qu'elle vient visiter sa fille. Je n'apprécie Ginette que le matin ou lorsqu'elle a bu : après deux bières, elle s'endort. Elle et Lili s'entendaient bien au secondaire. Elles ont choisi de partager l'appartement à Montréal pour la durée de leurs études. Elles s'entendent toujours aussi bien, malheureusement.

En plus d'être grosse et nouille, Ginette est juive. Bon. Personnellement, je n'ai absolument rien contre les juifs. Et si jamais j'écrivais un bouquin, je n'irais pas écrire des conneries sur cet état de choses. Il n'empêche que pendant son Yom Kippur, elle est insupportable. Pire que lors de ses règles ! (Je sais quand sont ses règles car Lili me fait venir de Saint-Hyacinthe pour déboucher les toilettes.) Quand on la regarde, on ne croirait pas qu'elle est juive. On ne peut voir si elle est circoncise. Son père, par contre, arbore les boudins comme des drapeaux. C'est bizarre pour un camionneur. Pendant le Hanukah, elle fait brûler des chandelles et on se croit dans un autre pays. Et ça ne coûte pas un sou !

La grosse a remis ça :

– Lili ? Qu'est-ce qui t'as pris de tomber amoureux de ce gars-là ? Il n'ira nulle part !

Elle n'avait pas tout à fait tort. Cependant, seule ma mère peut me dire ce genre de choses. Sortant de sa gueule, cela m'irritait beaucoup.

J'ai mis mon manteau, pris ma mallette et rapaillé mes cigarettes, mon briquet et quelques cossins.

– Où tu vas? m'a demandé gentiment Lili.

– Aux toilettes de la cantine, finir ce qu'il a commencé! a renchéri la grosse.

Sans la regarder – cette truie ne méritait pas cela –, j'ai expliqué à Lili que je me rendais aux studios où l'on devait enregistrer l'émission de la semaine prochaine, et où mon sketch du gars qui décape son préfini devait être joué. Mon tout premier texte accepté!

– Ça va bien aller, a fait Lili. C'est vraiment le sketch le plus drôle que tu as écrit jusqu'à présent!

– Ah? C'était un sketch comique? a lancé la grosse qui tentait de faire sa fine.

Moi, je considérais que j'avais produit plusieurs autres sketches très drôles. Cependant, ils ne passaient jamais à travers la prélecture. Pour la première fois de ma vie, un sketch écrit par le fils de ma mère allait être rigolé par la province entière! Quelque part, j'étais rudement fier.

Depuis l'âge ingrat de douze ans que je produisais des trucs humoristiques. Jamais je n'aurais cru que j'en ferais une carrière. L'an dernier, quand j'ai quitté l'université avant qu'elle ne m'abandonne elle-même, j'ai postulé comme scripteur à cette émission intitulée *C'est plate mais c'est vrai!*

J'ai donné un bisou à Lili, j'ai laissé la grosse nouille collée au mur et, en sortant, j'ai claqué la porte le plus fort possible. Je désirais honteusement que Lili sache bien que je ne pouvais plus supporter sa coloc.

Arrivé au deuxième palier, le locataire qui habite au-dessous de chez Lili m'attendait, les mains sur les hanches, écumant telle une bête féroce et méchante. C'est un policier. Je déteste les policiers et, lorsqu'ils sont déguisés en civils, ils me font terriblement peur. Ce flic, de plus, me déteste. Bref, je ne me sentais pas en sécurité.

— Coudonc l'jeune! Coudonc! il gueulait. Penses-tu que t'es tout seul dans l'immeuble? Coudonc! Coudonc! Penses-tu que t'es tout seul sur la planète Terre? Coudonc? En? Coudonc?

Il devait hurler pour que je l'entende car dans son salon, la télévision garrochait des publicités de bières pour que des flics en vacances en boivent. Le volume du poste devait être au maximum.

— Bonjour! j'ai seulement dit.

Dans ce genre de situation, il s'agit de rester poli.

— Coudonc! Coudonc! il a continué pendant qu'on pouvait entendre les portes des autres logements s'entrouvrir.

— Je suis désolé, mais la porte m'a glissé des mains, j'ai murmuré.

Face à un policier, la politesse est une question de vie ou de mort. Du moins, face à ce policier-là.

– La porte t'a glissé des mains ? il a répété avec sa voix qui déraillait vers les aigus.

Il ne me croyait pas. Un instant, j'ai pensé que je ferais mieux de présenter mes papiers. Puis, me rappelant qu'il devait posséder une arme, j'ai décidé de me tirer avant qu'il ne me tire. Parvenu en bas, je suis sorti sans vérifier si on avait du courrier. Sur le trottoir, à l'extérieur, je l'entendais qui hurlait à mort :

– Ça a pris tout mon p'tit change pour endormir ma fille pis des cons comme toé, des frustrés, défoncent les murs en fermant leur porte. Tu vas aller en enfer ! Coudonc !

Fort heureusement, le bruit de Montréal a vite pris le dessus sur ses cris. Lorsque le propriétaire a fait visiter l'appartement à Lili, il n'a pas manqué de mentionner qu'il y avait un policier qui habitait l'immeuble, qu'elle serait en sécurité...

Je déteste Montréal. Lorsqu'il fait beau ailleurs, il fait gris ici. Lorsqu'il fait beau ici, je suis ailleurs. Peut-être y a-t-il deux millions d'habitants dans cette ville, on y est quand même plus seul que dans n'importe quel village.

Je me dirigeais allègrement vers CFRQ « moi je t'aime » (c'est le thème de la nouvelle saison, vous aimez ?). Pour m'y rendre, j'ai à marcher environ trente minutes. Certes, je pourrais emprunter le métro, mais ça me donne des nausées. Non, non, je n'ai pas peur : les Noirs, les skinheads, tout ça, je ne crois pas à ça. Les gens puent tellement que vous-même n'oseriez pas y embarquer.

Tout en mettant un pied devant l'autre – c'est encore la meilleure façon de marcher – je me répétais mon sketch du gars qui décape son préfini. J'étais persuadé de son efficacité. Dans le milieu des scripteurs, on ne parle pas d'un sketch drôle : on parle plutôt d'un sketch efficace. En gros, disons que c'est l'histoire d'un type qui décide de décaper son préfini.

Même si j'ai pu faire sauter de joie oncles et tantes lors de la dernière émission car il y avait mon nom, le leur au générique, encore aucun de mes sketches n'a été diffusé. D'autres Bruyand ont fait du bruit, mais la famille n'en a retiré aucune fierté. Un cousin a tué sa femme à grands coups de pelle et de marteau (les journaux l'ont surnommé « le tueur fou qui ne se sert que de pelles et de marteaux ! ») et un oncle lointain – qui portait tout de même notre nom de famille – a cru bon d'exhiber son birlibi à plusieurs hommes, dont un inspecteur qui n'appréciait pas ce genre de spectacles. Les Bruyand étaient sur la *map*. À chaque lendemain des infos où l'on annonçait des crimes en hurlant « Bruyand », je devais tout raconter dans les moindres détails à mes camarades d'école. J'en mettais un maximum. Pour le reste de la journée, on me portait en haute estime. Pour l'oncle lointain, j'allai jusqu'à raconter qu'il avait mis son engin dans la bouche du détective, et que ce n'est qu'après que celui-ci eut fait jouir mon oncle qu'on avait procédé à son arrestation. Je possédais toutes les qualités du romancier. Les copains m'écoutaient attentivement, en voulaient toujours plus. Aussi, même si le Bruyand qui a violé la femme du député n'avait aucun lien de parenté avec moi, j'ai dû narrer toute l'histoire en y ajoutant des détails et des descriptions comme j'en voyais dans ma littérature américaine illustrée. Noël Dumaine, un copain à l'époque, a essayé la même chose voilà quelques mois. Ça ne m'étonne pas de lui. Le con, ce n'était même pas une femme de député !

J'avais confiance en mon texte. Mais, comme ce n'était pas la première fois que je misais sur un sketch, j'ai tenté de ne pas me faire d'illusions. Tout de même, Lili avait ri en le lisant ! Je sais que sa propre blonde n'est pas le public cible, mais Lili ne rit jamais habituellement. Une fois joué par le plus grand comique, la population québécoise tout entière ne pouvait que m'ériger une statue ou donner mon nom à une avenue. De plus, j'allais faire fortune : ce sketch durait au minimum trois minutes !

J'ai traversé le hall de CFRQ. J'ai signé un truc, puis me suis rendu au studio 43 où toute l'équipe enregistrait aujourd'hui l'émission la plus regardée au pays. Vous le savez, vous la regardez vous aussi.

Le studio était sombre. La scène était inondée d'éclairages. Derrière la caméra 2, une table ronde niaisait sous deux tonnes de cafés. C'est là que les scripteurs et autres membres de l'équipe se vident, en faisant le plein de café. Paulo, un collègue, semblait s'y ennuyer depuis longtemps. Il arrive toujours le premier.

– Salut Bruyand! T'as vu?

– Non! Quoi?

Paulo m'a mené jusque derrière les décors du premier sketch à être joué. Il m'y a pointé quelque chose de plus magnifique qu'une pyramide de Saint-Simon, de plus sympathique qu'une pierre tombale, et de plus édifiant qu'une dictée télévisée. Au bout de son index croche, il n'y avait rien de moins que le décor de mon sketch du gars qui décape son préfini. Ainsi, c'était bel et bien vrai! J'ai failli m'évanouir!

– Selon Roger (c'est le réalisateur) il y a toutes les chances que ton truc soit joué! m'a confirmé Paulo pendant que je caressais le décor.

L'émotion m'émouvait, quelque part. Tout ce que j'ai trouvé à dire c'est:

– Paulo, je déteste ton prénom.

Il a rigolé. Il a dû s'habituer jeune à ce genre de remarques. Les techniciens s'affairaient autour de nous. L'un d'eux, celui qu'on appelle le «vieux», m'a donné une tape sur l'épaule :

– C'est toi le gars qui décape son préfini ?

– Oui, j'ai répondu timidement.

– C'est pas mal bon ! Ça va être un des plus drôles de la saison !

Me faire dire cela par un type qui a tenu la caméra devant les plus comiques me flattait vraiment. Cela valait bien cent encouragements de ma mère et vingt de Lili.

La frisée, une autre scriptrice, est arrivée. Je ne sais pas son prénom. Je ne retiens pas ça à moins que ce ne soit Paulo ou Marcel. Elle s'est penchée vers moi, a mis ses mains sur mes genoux :

– Pis ti-gars, es-tu fier ?

– Hé là ! Tu me montres chacun de tes seins ! j'ai seulement pensé.

J'ai fait un bref signe de tête qui signifiait l'affirmative. Je n'observe pas les seins des madames lorsqu'on ne me les montre pas. J'adore les seins de n'importe qui, mais j'apprécie un exhibitionnisme un peu plus subtil.

Aujourd'hui, j'étais la coqueluche, la fille ayant enfin ses menstruations, le mec enfin dépucelé, le fonctionnaire qui prend sa retraite demain, le héros ! J'appréciais la joie sincère des scripteurs. Si les vedettes se jalousent, les scripteurs se soutiennent. J'adorais cette solidarité même si je n'en manifestais pas, n'étant pas encore véritablement à l'aise au sein de l'équipe. Ils riaient à chacun des sketches que je soumettais à l'émission. Ils critiquaient de façon très constructive, et force m'était d'avouer que leurs remarques visaient droit au but. Leur expérience ajoutée à mon dynamisme et mon innocence faisaient pourtant de moi un type menaçant pour leur revenu : nous partagions une « tarte » de vingt-quatre minutes. Celui qui produisait le plus avait la plus grosse paie. Et pourtant, ils semblaient véritablement heureux pour moi.

À leurs yeux, le type qui décape son préfini n'avait rien de plus drôle que mes autres sketches soumis. Pour le réalisateur, cette saynète avait certainement quelque chose de plus. Justement, il faisait son entrée dans les studios. Il a tout d'abord salué tous ceux qui l'attendaient, puis il est venu me voir :

— On enregistre ton truc après celui de Paulo, il a dit sur le ton de la confidence.

— Parfait ! j'ai seulement répondu.

Je dois vous avouer que je ne me sentais pas à l'aise avec ces gens du métier. Vingt et un ans, toutes mes dents, parmi des hommes et des femmes qui roulaient leur bosse depuis jadis, on se sent loin de chez soi ! Comme à notre première journée chez McDonald's sauf que ça ne se tasse pas aussi rapidement.

— As-tu vu si quelque chose manque au décor ? il a demandé.

— Non, non. J'pense pas.

– Ton sketch est vraiment débile! il a ajouté. C'est un des meilleurs que j'ai lus jusqu'à maintenant. Écris-en d'autres de même pis ça sera pas long que tu vas en monter des échelons!

J'aurais aimé lui dire que tout ce que j'ai produit auparavant était aussi valable mais tant de flatte-flatte me gênait un peu. Oui, ça me faisait plaisir, mais quelque part ça met mal à l'aise. J'avais mauditement hâte qu'il passe à autre chose.

Il ne manquait plus que Prout-Prout, le plus grand comique que la planète québécoise ait porté, celui que tout le monde aime (sauf les intellectuels qui n'y comprennent rien), celui de qui les plus grands comiques ont dit qu'il était le plus grand! Prout-Prout en personne!

Il connaît mon prénom. Parfois, il me dit bonjour.

Le studio débordait, comme à chaque enregistrement. Les AFEAS de mon pays s'entretuent pour obtenir des billets gratuits. Déjà, Raymond, l'*entertainer* de salle, y allait de ses blagues « bingos » et déridait la foule de tricoteuses. Raymond fait cela depuis vingt ans. Il reçoit plus de lettres de gens qui viennent assister à l'enregistrement que Prout-Prout. Il est vraiment bon. Il sait comment s'y prendre. Une fois, avant un enregistrement, il a fait un immense mots croisés avec le public en salle. Il y avait des mots comme « caca », « pipi » et « péteux ». Il entraînait la foule à rire.

Personnellement, je préférais Deschamps, Meunier, Thériault ou Lemire à Prout-Prout. Je jugeais – et je juge toujours – Prout-Prout nul et incapable de faire rire sans répéter les gags écrits par des scripteurs géniaux. En réalité, je n'enviais que son cachet. Pour chaque émission, il gagnait trois fois le salaire du réalisateur et, jusqu'à maintenant, des milliers de fois le mien. Je ne le trouvais pas vraiment drôle, mais j'étais persuadé qu'il me ferait rire en jouant MON sketch.

Il est finalement arrivé, l'air sombre et morose comme quelqu'un qui est vedette. Je ne m'en inquiétais pas : il est toujours comme cela. Il peut se le permettre, il est le plus grand comique ! Prout-Prout se doit de faire vivre trois ou quatre maîtresses en cachette de sa femme et de l'impôt, car il est gros, laid et vedette. En plus, il doit se payer des voitures de luxe et les démolir dans des accidents assez graves pour pouvoir faire la une des journaux à potins et garder le standing. Il se doit de sourire à tous les abrutis qui croient que Prout-Prout les reconnaît parce qu'ils regardent son programme et qui croient que Prout-Prout ne chie jamais. Même si sa femme découvre du rouge à lèvres sur son col de chemise et le menace de divorcer et de le vider de tout son avoir, Prout-Prout doit se rendre aux talk-shows, s'enfarger en gagnant la scène, grimacer à tous les téléspectateurs heureux de le voir au naturel et faire rire un animateur qui ne rit pas.

Dans le fin fond du fond, je suis bien scripteur. J'ai le respect de mes collègues et de ma mère. Grâce aux encouragements de ma mère, j'ai, par ricochet, ceux de mon père qui souhaiterait tout de même que je me déniche un vrai boulot qui salit les mains. Tout va bien. Prout-Prout jouera mon sketch, j'aurai de la gloire (très personnelle) et un cachet appréciable qui me motivera à continuer de faire rire à chaque fois que je ne mangerai pas à ma faim. Je crèverai dans l'anonymat, mais c'est mieux que d'écrire des romans et d'assumer des critiques dégueulasses toute sa vie, qui vous répètent que vous êtes incapable d'écrire un bouquin sans utiliser au moins trois mille fois le verbe « être ». Chaque fois que *C'est plate mais c'est vrai!* sera mauvais, la presse tombera sur le dos de Prout-Prout qui gagne assez de fric pour l'assumer. Personne dans la rue ne m'arrêtera pour me vomir sans gêne que je ne suis plus drôle, que je ferais mieux de me retirer quelque part en Floride dans un cabaret pourri. Bien sûr, je ne signe pas d'autographes, on ne me sert pas de repas gratuit dans les restaurants et Suzanne Lévesque ignore complètement qui je suis. Mais ça m'avancerait à quoi?

Bravo Prout-Prout! Continue de faire rire les Québécois épuisés de leur journée de travail.

Joue mon sketch. Fais ton métier comme le professionnel que tu es. Toute l'équipe vit de toi et de ta gueule de dingue que personne ne trouverait jolie si tu ne faisais pas rire. Tu es gros, laid et sale mais le monde t'aime ! Profite de ta bonne étoile avant qu'un jeune loup plus laid que toi ne t'arrache du firmament des vedettes ou que tout ton public décède.

Heureusement qu'il est laid ce con ! Comment réagiraient deux millions de téléspectateurs à Mickey Rourke qui répondrait à sa femme : « J'vas décaper le préfini ! »

L'enregistrement a débuté. Pour le premier sketch, celui de Paulo, Prout-Prout portait un déguisement de tarte à la crème. Lorsque le plombier lui disait « Quosse tu fais ? », il devait se lancer sur les murs en hurlant « sploutch ! sploutch ! » Je trouvais cette scène tout à fait ridicule. Paulo aussi, mais il a faim souvent. La tarte à la crème ne fait plus rire personne sauf Prout-Prout, qui prenait un singulier plaisir à éclabousser, et son public de dentiers.

Après cette scène, un succès, un chef d'œuvre ! il a fallu faire le ménage dans le studio. Puis, ce devait être MON sketch.

Prout-Prout se « détartarisait » en discutant avec le réalisateur. Ça gueulait ferme. Paulo m'a regardé avec mille sympathies dans les yeux. Je me suis tourné vers la frisée : elle observait des cossins coincés dans ses ongles.

Mon cœur a commencé à frapper pour sortir et s'enfuir. Je le retenais à l'intérieur, de force.

Le réalisateur s'en venait maintenant vers moi en regardant ses souliers pleins de crème. La crème semblait être un prétexte. Il a mis le bras sur mon épaule :

– Viens, faut que je te parle.

Le ton ne valait rien qui vaille. On n'achèverait pas un scripteur ? J'avais un gros motton, dans la gorge, un peu comme une toast pliée en douze pour gagner un concours au déjeuner.

Il m'a traîné à l'écart. Il ne voulait pas m'humilier plus que le faisait le gros con. Loin des regards et des réflecteurs, il m'a parlé comme mon père ne m'a jamais parlé :

– Tsais, François, dans la vie...

4

...tu rencontreras des obstacles. Parfois, des gens auront de bonnes raisons pour t'empêcher d'avancer et tu réussiras à te foutre de ces bâtons dans tes roues. D'autres fois, les raisons qu'on évoquera seront ridicules, tu n'oseras pas y croire, et pourtant, ce seront celles qui te feront le plus mal, celles que tu pourras pas oublier, celles qui te nuiront le plus.

Prout-Prout ne veut pas jouer ton texte parce qu'il ne se voit pas dire à sa femme qu'il s'en va à la cave décaper son préfini. Il n'y voit rien de drôle. Souvent, on l'a vu déguisé en femme, en policier, en politicien, mais à son avis, le grotesque a ses limites. Tout à l'heure, il sautait sur les murs en criant « sploutch ! Sploutch ! » Maintenant, il refuse de mettre une fausse moustache et de dire à sa femme : « Laisse-moi décaper mon préfini en paix ! »

— As-tu essayé de l'convaincre ? j'ai alors demandé.

— Ouais. Il veut rien entendre.

Je regardais le sol parce qu'il n'y avait rien de vraiment mieux à regarder. Les spectateurs en salle ont eu droit à une pause que Raymond a comblée par plusieurs blagues de belles-mères. Je les entendais rire, rire des blagues qu'ils connaissaient déjà. J'ai bien failli pleurer mais je n'ai pas été élevé comme cela. Les larmes se bousculaient dans ma tête, cherchaient les yeux que je refermais pour que la lumière ne leur donne pas d'indice.

J'aurais voulu tuer Prout-Prout, l'empaler sur une nouille de spaghettis, lui arracher les ongles un à un et les lui faire bouffer, le pendre par les pieds et lui crier des noms, les pires insultes! Gros pas-bon! Gros maudine! Des trucs du genre. J'aurais voulu le clouer au mur et lui crier que je vis de sa gueule de con et que s'il ne joue pas mon texte, j'aurai trois mois de retard dans mon maigre budget. Ce porc, il mange en un repas au restaurant ce que je bouffe en une semaine!

Le réalisateur a continué:

– Ton sketch est mourant! C'est débile raide! C'est peut-être juste parce qu'il ne correspond pas à l'humour de Prout-Prout? Si j'étais toi, je le proposerais au Troupo Folklorik ou à la compagnie Juste Pour Rire. En tout cas, je suis sûr que tu vas trouver preneur!

En guise de réponse, j'ai seulement soupiré. Un long soupir où se mêlaient désespoir, chagrin, fatigue et soif d'une ou de plusieurs bières froides. Mon soupir a touché mon réalisateur droit au cœur de réalisateur qu'il a quelque part. L'émotion lui fit entonner l'hymne au scripteur-pigiste :

— Il ne faut pas se laisser abattre... Il y aura d'autres échecs dans ta vie de scripteur...

J'ai décidé de l'interrompre au lieu de retirer ma casquette et de me foutre la main sur le cœur :

— Le problème, c'est que j'ai juste des refus jusqu'à présent ! À maison, j'ai plus de pages de textes refusés qu'il y a de pages au bottin téléphonique de San Francisco ! Bientôt, j'vais commencer à vendre mes sketches au kilo !

— Oui, mais tu es jeune ! il a poursuivi. Il y en a pas des tonnes de scripteurs comme toi qui travaillent à vingt et un ans ! Faut que tu sois patient, ton heure viendra ! Tes sketches sont ultracomiques, je le sais et tu le sais, mais tu es bien mieux de t'habituer à être « flushé » !

« Flushé ». Ce mot résonne encore dans ma petite tête. Après le monologue de Roger, j'ai quitté les studios. Sur le chemin du retour vers l'appartement de Lili, je m'arrêtai à chaque station pour prendre une bière. Il y en a des brasseries sur la route qui sépare CFRQ à Lili ! C'est la dernière qui fut la plus triste de toutes. À peine arrivé, on m'a servi une Mol puis les lumières se sont allumées. Le barman délaissait l'arrière de son bar pour montrer ses jambes, en entreprenant le ménage. Rien n'est plus triste qu'une brasserie qui ferme ses portes pour la nuit. Rien n'est plus triste qu'un *last call.* Rien n'est plus triste qu'un *waiter* qui met des chaises sur les tables. Rien n'est plus triste que le dernier type qui ne décolle pas même lorsque toutes les chaises sont à son niveau. Rien n'est plus triste qu'une moppe qui nous éclabousse les souliers.

Je suis finalement arrivé chez Lili à quatre heures et à quatre pattes. Cette bête position n'était pas causée par un portefeuille trop lourd : désormais, j'avais quatre mois de retard à mon budget. Comment nourrir ma voiture ? Comment payer mes cigarettes ? Comment vivre ? Devrais-je cesser de fumer pour sur-vivre ?

Fumer de la corde. Fumer les mégots qui traînent dans la rue. Fumer de vieux pneus. Fumer et laisser fumer. Fumer.

Comment voyager ? Me gâter ? Gâter Lili ?

Je devrai louer mes six pouces, hum, de pénis à des gens que je ne connais pas. Je devrai dévaliser tous les dépanneurs vietnamiens de la métropole avec une tuque sur la tête en plein mois de septembre. Je devrai vendre de la drogue à des morts. Je devrai me nourrir de soupes populaires, de mouettes et de cravates.

Comment expliquer à Lili ces pertes au fond de mes bobettes ? Que j'ai été arrêté avec une tuque sur la tête en plein mois de septembre ? Comment expliquer à Lili que je rote une soupe au poulet et nouilles alors qu'elle sait très bien que j'abhorre les nouilles ?

Où ai-je bien pu dénicher un mot comme « abhorre » ?

Bien sûr, je pourrais accepter de vivre sur le dos de Lili à Montréal et sur celui de mes géniteurs à Saint-Hyacinthe. Cependant, mon honneur m'en empêche. Mes séjours chez Lili, je les paie : cinq dollars chaque nuit. Ainsi, en payant, je n'éprouve aucune gêne à bouffer les biscuits feuilles d'érable que j'avais ramassés et à laisser à l'occasion un cerne autour de la baignoire. Après tout, ne suis-je pas en plus celui qui fait le ménage ?

Depuis le début de la saison de télé, j'ai passé vingt et un jours chez Lili : je lui dois cent cinq dollars.

Le plus dur à expliquer à Lili fut la raison de mon arrivée à une heure si tardive. Dès qu'elle m'a ouvert la porte, je l'ai prise dans mes bras mous et sans tatou. Dans le couloir, malgré l'heure, on pouvait entendre le flic d'en bas qui interrogeait sa femme. Lili m'a soutenu. J'ai fait des yeux pitoyables. Après tant de bières, cela n'avait rien de compliqué.

Devant ce regard beurré, Lili n'a pas insisté pour savoir ce qui m'arrivait vraiment. J'ai tenu à lui expliquer tout de même. Elle m'a seulement répondu que cela ne valait pas tant de peines, que je n'avais « surtout » aucune raison de m'en faire, que ce job de scripteur était futile, etc.

Après cinq minutes de ce genre de discours, elle en est venue au vrai sujet : cet échec ne valait pas la cuite. Quelque part, elle était amère. J'ai donc dû me justifier. J'excelle là-dedans. Je l'ai caressée, serrée fort dans mes bras de petit homme et me suis excusé de tout le tort que mon échec avait pu lui causer.

Lili s'est glissée dans le lit. J'ai retiré mes espadrilles tout en retenant mon souffle. Puis, j'ai ôté mes bas sans résister à la tentation de les sentir. Oui, ce jour-là, j'avais eu chaud. Je me suis déshabillé et me suis étendu dans ce lit, ce foutu miroir où l'on voit sa journée entière, ses échecs, ses malheurs et ses angoisses.

Lili a mis sa tête sur ma petite épaule. C'est bizarre, je n'arriverais pas à m'endormir sur l'épaule de quelqu'un. De toute façon, elle aussi n'y parvient pas; après cinq minutes de longs soupirs désapprobateurs, elle s'est retournée, m'a fait dos et dans le miroir de la vie, il ne restait que moi.

Mes yeux gris, verts ou bleus – c'est selon qui regarde – même ouverts ne me piquaient pas une miette. Je restai sur le dos car après trois bières – ce soir-là, sept, huit ou neuf – si je me couche sur le côté, ça tourne comme à La Ronde. Et moi, à La Ronde, lorsqu'un manège tourne, je vomis.

Dans l'appartement, il y avait au moins trois mille bruits: on entendait le flic qui bossait fort en dessous, la grosse qui ronflait et dont on aurait dit qu'elle soufflait la neige de la cour, l'évier qui égrenait ma vie et que j'aurais-dû-réparer-si-j'avais-su-comment, mais j'entendais surtout ma vie qui me criait des insultes à tue-tête. Je pouvais très nettement distinguer le bruit de ma vessie craquant sous la pression. Je décidai d'attendre, ce serait meilleur.

Au plafond, je voyais la sale gueule de Prout-Prout. Puis sont apparus Roger, Paulo, Pico, Andrée, ma famille tout entière et le type qui m'a foutu une baffe quand j'avais cinq ans. J'ai légèrement tourné la tête. J'ai vu Lili.

5

Christ, je ne parviens pas à m'endormir. En plus, j'ai mal au cœur, ça ballotte comme sur un vieux rafiot pourri sur une mer pourrie. En bas, le policier a terminé d'interroger sa femme, mais il accuse maintenant les meubles et la vaisselle. J'ignore comment Lili et la grosse arrivent à dormir avec un pareil raffut. Je déteste me retrouver face à face avec mes malheurs. Habituellement, j'essaie de penser à autre chose. Cette nuit-là, je me suis réalisé un petit film érotique dans ma tête. Ça n'a rien donné : je revoyais Prout-Prout.

En désespoir de cause, j'ai fait plusieurs « Je vous salue Marie, comment ça va ? » Rien n'y fit. Elle devait dormir à l'heure qu'il était. J'essayais de me détendre comme je l'ai lu dans *Châtelaine* en attendant chez le dentiste. Moi, pour me détendre, il n'y a qu'une chose : l'humour. Derrière mes yeux, je me suis alors raconté : « C'est quoi la différence entre... »

JE M'EN FOUS ! JE M'EN FOUS COMPLÈTEMENT DE TOUTES LES DIF-FÉRENCES DE LA PLANÈTE ! TOUT CE

QUE JE VEUX, C'EST DORMIR! DORMIR! DORMIR! DORMIR!

Habituellement, lors de ces insomnies, je m'énerve au maximum et je réveille tout le monde en allumant la télé ou des trucs du genre. Mal m'en aurait pris : Lili m'aurait tué. Une nuit où je ne trouvais pas le sommeil (au fait, pourquoi « sommeil » prend-il deux « m » alors que « dormir » n'en prend qu'un seul ?), j'ai entendu des anges qui m'invitaient à les rejoindre au paradis par des chants en ultrasons, peut-être pour prendre un café avec eux. J'ai repoussé l'invitation poliment, mais il me restait dans la bouche comme un goût de mort. Si ! Si ! J'essayai et parvins à résister à la mort : j'ai ouvert le téléviseur. Quand j'ai raconté cette aventure à Lili, elle ne m'a pas cru. Elle prétendait que j'avais rêvé, tout simplement, que je m'en faisais pour rien comme chaque fois où j'ai appelé mon employeur de l'époque pour lui annoncer que je ne rentrerais pas travailler parce que je croyais avoir le sida, le typhus, la peste bubonique ou la malaria. Après trois ou quatre maladies, je me fais foutre à la porte. Je suis fragile.

Elle me croit lorsque je lui dis que je suis malade. Toutefois, elle est convaincue que c'est dans la tête que ça se passe. Peut-être n'avais-je pas le sida ni quelque autre mal, mais quand on lit les journaux, comment être sûr que l'on n'a pas pris le taxi de Freidreich ? Même en santé, j'ai les symptômes de plusieurs maladies graves.

Un jour, j'écoutais sagement la radio. Pour me détendre. J'ai entendu l'interview d'un médecin qui parlait des différentes sortes de poux. J'ai commencé à me gratter et à inspecter chaque partie de mon corps car, le saviez-vous, il y a des poux qui vivent à l'intérieur de la peau ! En gros, vus au microscope, ces bêtes minuscules, ces intrus créent de véritables métropoles dans des endroits aussi plates et sales que vos aisselles ! Ils s'installent sans vous demander la permission, se lancent en affaires, ouvrent des commerces tels des restaurants, dépanneurs, et boutiques à cossins et vous bouffent littéralement la laine sur le dos ! Vous vous réveillez un matin, sans avenir, sans voix, envahi ! Vos points rouges qui ne sont pas de l'acné sont sûrement des poux.

J'avais plusieurs points rouges sur le corps. Tout près de quatre. À l'aide d'une fourchette, j'ai gratté la peau jusqu'au sang et j'ai piétiné ce que j'ai cru être des poux. Ils ont cessé de respirer. Ils ne pouvaient plus nuire à personne !

Bref, je ne dormais pas. Et à me souvenir de ce court épisode de ma vie, ça a commencé à me piquer un peu partout. Je me grattais presque discrètement lorsque Lili s'est réveillée. Elle a marmonné quelque chose qui signifiait probablement «As-tu fini d'grouiller ?» Enfin ! Un peu de réconfort ! Profitant de la conscience de Lili, je pris ma voix la plus pitoyable et lui glissai à l'oreille «Chu pas capable de dormir!» Elle m'a répondu de dormir, qu'il était assez tard.

Seul! J'étais donc seul au monde! Seul devant la chorale des anges qui risquaient de se pointer la bette d'une minute à l'autre, devant un avenir aussi sombre que quelque chose de sombre, devant une journée qui s'annonçait aussi merdique que la veille. Mon plus grand malheur, par ma faute, est certes de ne pas utiliser ces heures de conscience mal placée à bon escient. Si, au lieu de jurer contre tous les saints, je lisais *Le Capital* de Marx ou *Comment j'arrive à survivre*, de Rose Ouellette, je me cultiverais. Je pourrais également utiliser ces heures d'éveil à faire des mathématiques, me faire des bras ou m'exercer au piano. Au lieu de cela, je demeure couché à espérer le sommeil.

Eh bien, chers amis lecteurs et lectrices de n'importe quelle caste, cette nuit-là, je me suis levé et me suis rendu à la cuisine avec papier et crayon empruntés à Lili. Pendant l'heure et demie d'angoisse que je venais de passer, j'avais eu tout le temps de repenser à mon roman. Ce roman que je me devais d'écrire pour donner un sens à ma vie. Plusieurs idées m'étaient venues. Bravant du revers d'un bras imaginaire toute critique anticipée de Pico ou d'Andrée, je me suis mis au travail. J'allais écrire la meilleure histoire du monde! En plus, au lieu de la faire lire par Andrée et Pico, Lili serait la toute première à poser ses yeux sur ce texte génialique.

Elle ne lirait que l'ébauche. Je voulais garder la surprise du roman complété jusqu'au mot « fin ». De toute façon, si je lui annonçais que j'avais entrepris l'écriture d'un roman, elle m'embêterait avec cela.

L'histoire se devait d'être morose, sombre et noir foncé. Elle devait refléter mon état d'esprit à cinq heures trente du matin, celle d'un insomniaque angoissé devant l'éternelle comédie du cycle des jours. J'ai voulu créer une ambiance poético-science-ficto-réaliste, ce qui, selon moi, semblait tout à fait nouveau. Grâce à un tel style, je ne pourrais pas être comparé à Philippe Chiant ni à Marcel Gamache. Toujours selon moi, Marcel Gamache n'est plus drôle pour quatre sous.

Le calme hystérique de l'appartement – le flic devait être mort d'épuisement – était source de Bonhomme Sept Heures et d'inspiration. Je me sentis alors écrivain à part entière, celui qui écrit la nuit au lieu de roupiller. Jamais je n'aurais osé jouer de la dactylo à cette heure tardive ; le flic et son escouade tactique m'auraient abattu sur-le-champ. Seul l'évier donnait du rythme à cette nuit blanche. Parfois, les calorifères électriques claquaient. Tout pour une grande histoire...

« POURQUOI JEREMY HADES A BATTU LA GROSSE NATHALIE NOUYONNE LORSQU'IL ÉTAIT EN CINQUIÈME ANNÉE B ? »

Par François Bruyand

Jérémy dormait toujours. Dans la chambre de notre héros, on ne pouvait entendre que ses rontupus et les grattes-grattes de ses gerboises qui voulaient sortir de leur cage. C'était le matin. Le soleil apparaissait après une nuit blanche passée en terre communiste à faire pousser de la vodka et du caviar dans les kolkhoz. Il n'en était pas revenu avec une publication marxiste-léniniste ; là-bas, les gens ne croient pas à cela. Les moineaux moinottaient dans les arbres patients. Le camelot camelotait sa camelote et le boulanger plottait son pain. Ce matin-là, monsieur Météo avait mis son pompon sur sa tuque et de son nez coulait du jus de carotte. Brrr ! Il faisait froid ! Heureusement, le thermostat veillait au grain et ferait germer Jérémy pour une autre journée. Décidément, on était le matin. Voyons comment se déroula ce huit février...

– Dring ! Dring ! cria donc le réveille-matin. Réveille-toi ! Allez, hop, diguidine ! C'est le matin et je ne le répéterai que dans neuf minutes !

– Bâille ! fit Jérémy en appuyant sur le *snooze* de l'appareil. J'ai bien dormi, gémit-il en décrottant ses yeux. Et quelle matinée j'ai devant moi ! Matinée, tasse-toi, je dois jeter un coup d'œil à mon agenda... Hourra! C'est aujourd'hui mon rendez-vous chez le docteur!

Il se leva, fit clapoter tendrement sa langue contre son palais et se regarda sourire dans le miroir. Puis, délicatement, il releva son gilet de pyjama en coton ouaté, celui avec un zèbre-qui-chante dessus.

– Hürgü! il s'exclama.

Pour un seizième matin consécutif, son nombril avait sécrété de la mousse pendant la nuit! Tout cela l'inquiétait vraiment. Lors de la cinquième nuit, il n'avait pas fermé l'œil gauche, veillant sur ce damné nombril défectueux, ne le quittant pas de l'œil. Ce fut l'unique nuit où rien n'apparut dans la serrure de sa bedaine. Lui fallait-il ne jamais dormir pour mener une existence normale? Est-ce normal de ne pas dormir? À quoi peut bien servir un nombril si on ne peut rien y cacher?

Ce virus étrange était la raison du rendez-vous chez le toubib. Jérémy n'avait pas osé déranger son père, Hescape, pour lui en parler et, de toute façon, ils ne s'étaient pas vus depuis deux mois. Il avait également évité d'en parler à sa mère, Limone, car il croyait avoir affaire à une maladie d'homme. Pire, Jérémy croyait à une maladie vénérienne. Avant l'apparition des symptômes, il n'hésitait jamais à se rendre aux toilettes de son école. Il était maintenant persuadé qu'il avait attrapé ce mal à ce petit endroit. Aussi, il savait que la grosse Nouyonne pouvait lui refiler des poux comme elle l'avait fait à la moitié de la classe l'année précédente, mais jamais il n'aurait pensé qu'elle lui transmettrait une MTS! D'ailleurs, si cette maladie émanait de la grosse Nathalie Nouyonne, cela signifiait donc qu'elle se rendait aux cabinets des garçons pour ses besoins! Une chose était sûre: la torche à Nouyonne était épaisse. Notre héros le savait depuis qu'elle avait mangé de la colle pour se rendre intéressante lors d'un cours de catéchèse appliquée.

Dans la vie, Jérémy ne détestait que deux personnes: la grosse Nouyonne et le téteux à Noël Dumaine. Une fois, lors d'une leçon de réglettes, Dumaine avait reçu un papier. Myope, il était allé voir la maîtresse pour qu'elle lui lise. Dessus, c'était la Nouyonne qui lui demandait pour sortir avec. Tout le monde avait ri! On savait tous que Dumaine couchait avec sa grand-mère et que celle-ci n'appréciait pas que Dumaine ait une autre fille dans sa vie. Gêné, il avait déchiré le papier, ce qui signifiait qu'il cassait. Moi et Jérémy, on rigolait. Alors, à la récréation, on avait lancé le ballon sur Dumaine le plus fort possible. Il pleurait. Alors, Nouyonne lui avait craché dessus. C'est la seule fois où Jérémy a dit bravo à la grosse. L'autre jour, j'ai appris que Noël Dumaine avait été abattu par la police. Jérémy a toujours dit que le téteux à Dumaine mourrait un bon jour. «C'est, disait-il, inévitable!»

Toujours est-il que notre sympathique héros mit ses pantoufles en laine qui pique avec un rang-jaune-un-rang-brun et descendit à la cuisine se faire cuire des gaufres. Le jour de son anniversaire, il ne les avait pas toutes mangées. Il avait voulu en garder pour plus tard. Et plus tard, c'était ce jour-là.

Le grille-pain, malgré sa fonction nominale, parvint sans mal à griller les gaufres au son. Jérémy haïssait les gaufres au son, mais sa mère avait insisté pour qu'elles soient au son afin que son fils pète de santé. Ça l'écœurait de manger cela. C'est pour cette raison qu'il les avait gardées pour plus tard et qu'il les noyait dans du sirop d'érable.

Son rendez-vous chez le docteur était à neuf heures. Il avait choisi cette heure car cela lui permettait de manquer un avant-midi d'école. Après avoir vomi ses gaufres au son, il se fit deux toasts au beurre d'arachides et s'installa confortablement devant ses petits bonshommes pour voir si le coyote arriverait enfin à bouffer le *road runner* dont on ne sait pas quelle sorte d'animal c'est. Depuis qu'il se sentait adulte, il appréciait beaucoup plus les dessins animés. Maintenant qu'il était un grand garçon de neuf ans, il savait bien que les bonshommes, c'est juste des bonshommes !

Lorsque le coucou hurla huit fois et demie, il sut qu'il devait se mettre en route. Parce que sa mère n'était pas là, il prit soin de ne pas mettre ses bottes d'hiver ni sa tuque. Elle ne l'apprendrait pas : elle n'avait pas couché à la maison, elle voulait une augmentation. Tout de même, Jérémy glissa sa tuque dans sa poche de manteau, au cas où elle serait là à son retour. Avant de partir, il fit soigneusement le tour de la maison pour voir si le feu n'était pas en train de prendre quelque part. Une fois rassuré, il prit « l'empêche » et attacha Matinée pour l'emmener avec lui chez le docteur. (Jérémy se refusait à appeler une « laisse » ainsi car ça ne « laisse » pas un chien, ça « l'empêche ».)

Viens Matinée, on va faire un tour ! De toute façon, elles sont si mal clouées ! dit en riant notre héros qui maîtrisait bien ce genre d'humour qui ne lui attirerait jamais d'excellentes critiques.

Son chien, Matinée, s'appelait ainsi car un jour son père avait tenté de le faire fumer. Quelques jours après son expérience avec le tabac, Matinée avait rongé le canapé du salon et léché la collection de timbres d'Hescape. Pour Jérémy, justice fut faite. Pour Hescape, cela lui servit de prétexte pour divorcer sans laisser de pension alimentaire au chien qui l'humiliait en refusant de faire le beau pour une cigarette. Auparavant, Jérémy avait eu un autre chien. Il lui trouva un nom lorsqu'il mourut : il l'appela Duster.

À l'intersection des rues Audet et Carpentier, Matinée se fit écraser par un véhicule en état d'ébriété qui passait par là. Jérémy nota dans son agenda de ramasser les débris du chien en revenant de chez le docteur, de l'enterrer derrière le garage et de demander des sous à sa mère pour s'en acheter un autre. En repliant l'empêche de Matinée, il songea qu'il vaudrait mieux la raccourcir afin d'éviter d'autres malheurs.

La secrétaire du docteur fut très jolie et très polie. Il nota dans son agenda, en attendant, qu'il fallait penser à elle en se branlant dès ce soir-là. Dans le *Paris-Match* de la salle d'attente, il n'y avait pas de photo de Stéphanie de Monaco toute nue et Jérémy avait déjà lu le *Reader's Digest* du mois car il avait eu une gastro. L'attente fut donc plus longue que prévu. Soudain, la voix douce et chaude de la secrétaire miaula doucement: «Jérémy Hades».

– C'est moi! répondit timidement Jérémy car les seins de la madame ne semblaient pas avoir chaud.

– Viens, mon enfant, fit-elle calmement. Le docteur Houatsup ne te fera aucun mal.

– Je sais! grogna Jérémy, déçu que la femme le traite comme un gamin de huit ans.

Il traversa le couloir tête haute, comme un homme. Même si ça sentait la chenoute, il ne plissa pas le nez et s'appliqua à ne pas frôler du doigt le mur de tapisserie.

En entrant dans le cabinet du docteur, Jérémy présenta sa main au gros monsieur qui se tenait devant lui. Celui-ci, plutôt que de la lui serrer avec vigueur, lui fit un tope là.

– Qu'est-ce qui t'amène mon beau Jérémy?

– Un grave problème, doc! affirma sombrement notre héros.

– Allons donc! fit le gros d'un ton bonasse. Voyons voir! Allez, déshabille-toi! On va regarder ça!

Jérémy ôta presque tous ses vêtements. Arrivé au caleçon, il regarda le médecin d'un air inquiet. D'un signe de tête et les yeux brillants, le docteur signifia à notre ami qu'il devait être complètement nu pour l'examen. Gêné, Jérémy retira son caleçon.

– On va commencer par toucher ton pénis, bava le docteur. Hum! Il est doux!

– Mon problème se situe surtout au niveau du nombril, mentionna Jérémy.

– Peu importe, il faut tout vérifier! répliqua Houatsup. Il faut s'assurer que ton pénis est doux! ... Maintenant, le toucher rectal!

– C'est quoi le toucher rectal, monsieur?

– Toucher, du latin «toucher» et rectal, du latin «érectum». En gros, je vais vérifier l'intérieur de ton péteux. Tu ne sentiras presque rien.

– Ouch! cria Jérémy, ça fait mal!

– Mais non, mais non, dit le docteur en mettant ses deux mains sur les épaules de notre héros afin de le rassurer. C'est presque fini... Ah!... Voilà!... Ça y est!... Oui!

– Je dois vous dire, docteur, que je suis bien inquiet. Depuis plusieurs jours, mon nombril sécrète des espèces de boules de coton. Je me demande même, lors de mes angoisses, s'il ne s'agirait pas d'une MTS! Je crois même que ma carafe d'eau se vide toute seule!

– MTS? s'exclame le docteur, feignant l'inquiétude. Je ne crois pas. Montre-moi ce nombril de malheur!

– Le voici! fit Jérémy en le tendant au monsieur apaisé.

– Hum! huma le toubib, tel qu'il l'avait appris à l'université. Je vois! vit-il. De deux choses l'une : ou on te dévisse le nombril pour en vérifier le contenu et les deux fesses te tombent ou tu prends plein de bons nénannes médicaments et tu cesses de porter des vêtements en coton. Que choisis-tu?

– Les pinunes de médicaments sont de quelle couleur? demanda Jérémy.

– Bleues!

– Dans ce cas, je prendrai les pinunes et je cesserai de porter des pyjamas en coton!

– À la bonne heure! C'est ce que j'aurais choisi moi aussi! fit le médecin satisfait. Va voir ma secrétaire pour un autre rendez-vous. On doit effectuer un suivi attentif de ton cas... Et rhabille-toi avant de sortir du bureau! Si quelque chose coule de ton péteux, ne t'inquiète pas : c'est le mauvais qui sort!

Jérémy acquiesça à tout ce que le docteur lui dicta. Tout de même, il voulait en avoir le cœur net :

– Croyez-vous, docteur, que la grosse Nouyonne a un quelconque rapport avec ma maladie ?

– Sans aucun doute ! répondit à la blague Houatsup.

Dans l'après-midi, lors de la récréation, la grosse Nouyonne a mangé la volée de sa vie. Jérémy a dû faire une composition de dix lignes sur le thème : « je-ne-frapperai-plus-la-grosse-Nouyonne-quand-elle-porte-ses-lunettes-J'attendrai-qu'elle-les-ait-enlevées-avant-de-lui-donner-des-coups-de-pied ».

Aujourd'hui, la nuit, on entend encore parfois les hurlements de Nathalie Nouyonne souffrant sous les coups du brave Jérémy. Aveugle depuis ce huit février, tout le monde se paye sa gueule sans qu'elle le sache.

FIN

Je venais tout juste d'inscrire le délicieux mot « fin » au bas de mon histoire quand la grosse conne s'est levée. Bien sûr, ce « fin » n'avait rien de vraiment final. Je n'avais pondu que le résumé, le condensé, le *digest*, le sommaire, le synopsis, la synthèse, rien de moins que l'épitomé de mon premier roman. Quelque part, j'étais rudement fier.

Elle m'est apparue dans l'embrasure de sa chambre qui donne tout droit sur la cuisine où elle passait tout juste. Elle contrastait avec la douce mélodie des moineaux qui chantaient en chœur la sixième de Beethoven, la subtile présence du soleil encore les yeux encombrés de crottes, et la fine rosée au bas de la porte patio de la cuisine dont j'aurais bien pris un verre. La grosse coloc se lève tôt, car pour se faire une beauté, elle doit être debout deux heures avant le début de ses cours. Elle semblait surprise de ma présence à la table de la cuisine, à cette heure et devant toutes ces pages noircies.

– Qu'est-ce que tu fais là? elle a roté.

Je n'ai rien répondu. J'aurais pu être méchant. Elle s'est passé les mains dans les cheveux et, pendant un instant, j'ai cru qu'elles allaient rester coincées. Sans la moindre délicatesse, elle s'assit à ma droite. Sa jaquette, beaucoup trop petite, ne cachait pas ses seins, mais elle s'en foutait. Elle se croyait délicieuse à regarder.

– Tu fais le clown sur papier même la nuite? Sa façon si personnelle de prononcer le mot nuit vous rendrait insomniaque.

Je lui ai répondu d'un seul regard qui valait bien trois mille mots sales. Au moins.

– T'es-tu levé de bonne heure ou t'as pas dormi?

– J'ai pas dormi.

– Lili était inquiète hier. T'arrivais pas.

– J'ai été retardé, j'ai menti.

– Un peu plus et elle appelait la police, elle a continué. Je l'ai rassurée: tu t'étais sûrement pas fait violer!

Après un bref silence, elle a jeté un œil – mal démaquillé – sur mes feuilles. Elle a entrepris la lecture de mon histoire. Tiens ? Elle sait lire !

La première page terminée, elle s'est levée de sa chaise pour aller se faire un café. Elle a agrippé la deuxième page et l'a lue pendant que l'eau bouillait. Elle ne disait rien, n'émettait pas le moindre son, le moindre commentaire. Pendant sa lecture, elle se grattait distraitement un sein et j'ai pu apercevoir le bout du gauche, teinté de bleu et de rouge vif. Ça ne m'inspirait rien du tout. Je commençais à avoir mal à la tête.

Malgré le fait que la grosse me montre ses nichons, je la trouve tout de même sympathique le matin. Jamais agressive, je crois qu'elle était gênée de se montrer ainsi à moi, dégrimée, ébouriffée, hirsute et myope derrière ses lunettes en corne, qu'elle remplace toujours par des verres de contact avant de se rendre à l'école. Elle devait se montrer gentille en espérant que je n'ébruite pas sa condition matinale. Il n'y a que le matin pour l'entendre vous proposer un café ou d'autres politesses de cet acabit. (Vous avez vu ? J'ai glissé « acabit » dans ce truc !)

L'eau est parvenue à ébullition. La grosse a déposé avec précaution mon texte sur la table, s'est préparé sa mixture, puis a continué sa lecture assise à la table, toujours à ma droite. J'avais hâte qu'elle ait terminé, qu'elle dise enfin quelque chose, n'importe quoi. Quelque part, je l'aimais bien cette fille. Quand même, je la trouvais bien muette. Si elle avait lu le menu d'un restaurant italien, elle aurait réagi davantage. Aussi, j'admets que je m'inquiétais un peu : réaliserait-elle qu'elle m'avait inspiré le personnage féminin qui n'est pas la secrétaire du toubib ?

Je n'aurais pas dû lui permettre de lire mon « roman ». Je souhaitais que Lili soit la première.

Après quinze minutes, elle a déposé la dernière feuille tout droit dans un rond qu'avait laissé sa tasse de café.

– Pis ? j'ai lancé.

– Si ça devait être un texte drôle, je m'excuse, j'ai pas ri une miette !

Le café lui a rendu sa vigueur et son foutu franc-parler usuel. Chenoute.

– Mais à part le fait que ça soit pas drôle ? j'insistai.

– Ben... J'dirais que c'est pas mal confus et pas très clair.

– Mêlant, tu dois vouloir dire ?

– C'est ça ! Tu ferais peut-être mieux d'aérer un peu plus ton texte !

– Comment tu ferais ça ? j'ai demandé.

– Ben... En laissant un peu plus d'espace entre les paragraphes, peut-être.

Elle se grattait les seins de plus belle. À deux mains. Peut-être avait-elle ses règles ?

Déjà ? Peut-être était-elle enceinte ? Peut-être avait-elle des poux sur tout le corps ? Qu'en savais-je ? Devrais-je lui proposer de les lui gratter moi-même ? Lui offrir mon aide ? Était-elle allergique au coton ? Pourquoi ne se lâchait-elle pas les seins ? Merde !

— Mais, j'osai en tentant de me concentrer, qu'est-ce que tu en penses « vraiment » ?

— Ben... Les jeux de mots m'agacent ! Cherchant ses mots, les trouvant, elle continua :

— Tes jeux de mots sont faciles et gratuits...

— Gratuits ? j'ai coupé.

— Gratuits. Il y a rien de subtil là-dedans. On dirait que tu écris pour des mongols ou pour le public de *C'est plate mais c'est vrai !*, ce qui, pour moi, est la même chose. En plus, tes jeux de mots nous mélangent.

— Maudit, j'ai murmuré.

— C'est ça, c'est ce genre de jeux d'mots-là dont j'parle.

— Quelque part, tu trouves pas ça profond ?

— Ah ! elle laissa tomber, à part le bout du viol, y a rien de profond là-dedans !

Elle allait cracher une qualité ou je l'égorgerais !

— Oui, mais qu'est-ce que tu en penses vraiment, « vraiment » ?

— Christ ! J'viens de te l'dire !

— As-tu compris le double sens ? j'ai doucement demandé.

— Oui.

Ai-je bien fait de vouloir aller plus loin :

– Pis le style ? Qu'est-ce que tu penses du style ?

– L'écriture n'est pas maîtrisée, il me semble.

Là, j'allais la coincer :

– Où ? Où dans le texte ? Des exemples ?

– Attends... Là ! déclara-t-elle en m'indiquant un endroit précis dans le texte. Ce bout-là où tu parles de Noël Dumaine...

– Où est le problème ?

Le style, jusque-là, sous-entend un narrateur-héros. Le rappel à la mort de ce Dumaine sous-entend un adulte. Donc, il y a véritablement interférence et l'espace-temps n'est pas respecté. C'est même invraisemblable !

– Je ne suis pas sûr, j'ai répondu.

Je m'énervais. Pas beaucoup mais un peu. Ce n'est qu'une grosse conne ; je m'excuse pour tout ce que j'ai pu dire auparavant : je ne le pense plus.

Malgré son état de grosse conne bouchée, je me suis dit qu'il valait sûrement la peine d'approfondir sa critique. Après tout, un bonjour, une grosse conne bouchée achèterait peut-être trente exemplaires de mon roman pour le faire étudier à ses élèves.

– Qu'est-ce que tu penses des personnages ?

– Ben... Ton bonhomme...

– Personnage ! j'ai coupé.

– Ton personnage est censé avoir neuf ans. Sauf qu'il vit seul et abandonné, y prend seul

119

un rendez-vous chez le docteur, y se branle, y bande sur une secrétaire pis y connaît le cul comme le fond de sa poche. Il connaît tout sauf qu'il se fait enculer par le docteur sans s'en rendre compte. Alors là, moi je débarque. Pour ce qui est d'la grosse Nouyonne, j'aimerais bien savoir qui te l'a inspirée !

Le ton ne souhaitait pas de réponse. J'ai alors compris que son jugement devait être altéré par l'amertume. Elle n'avait pas encore terminé :

– En plus, le titre est ben trop long ! Surtout qu'on découvre sa signification seulement à la fin... Parlant de fin, la tienne me laisse en appétit !

En ce qui concerne les jeux de mots épais, elle ne pouvait me donner de leçons. Je ne me décourage pas vite. Il ne me restait que bien peu de courage. J'en avais encore suffisamment pour tenter un dernier effort :

– Et l'émotion ?

– Quoi ? L'émotion quoi ?

– Trouves-tu que c'est écrit d'une façon particulière ? Différemment de tout ce que tu as pu avoir lu jusqu'à ce jour ? Est-ce que cela te touche quelque part sous ce sein que tu tripotes depuis tout à l'heure ?

– Laisse mes jos en dehors de ça !

– Qu'est-ce que tu penses de l'émotion qui se dégage de mon histoire ?

Pourquoi voulais-je son opinion ?

– Ben...

Elle semblait hésiter, mais ce n'était pas une hésitation comme quelqu'un qui hésite, plutôt comme quelqu'un qui ne veut pas dire du mal.

– Il doit pourtant y avoir quelque chose de bon? j'ai lancé.

– Tu veux que je sois franche? elle proposa.

– Non.

Elle le fut:

– Si tu veux entendre des qualités pis des beaux commentaires sur ton histoire, t'as juste à la faire lire par Lili!

Puis elle a rigolé.

Je contemplais la table. Elle semblait sympathiser à ma cause perdue d'avance.

Force m'était d'admettre qu'il n'y a rien de facile dans cette poutine qu'on appelle la vie. Même écrire un roman. Pourtant, je ne désirais pas écrire un gros roman! Juste un petit! Un petit roman de rien du tout, histoire de me faire croire que je pouvais réaliser quelque chose de valable!

La grosse s'est levée de table, a mis sa main sur mon épaule, et m'a dit doucement cette maxime que son père avait dû lui répéter lorsqu'elle était jeune: «Tu peux pas être bon dans toute! T'as juste à être le meilleur dans rien.»

La vie est décidément injuste. Effectivement, si on ne peut pas être bon dans tout, alors pourquoi ne puis-je pas au moins être bon dans ce que j'aimerais faire dans la vie ? Si je n'arrive même pas à réussir dans ce que j'aime, serai-je un bon père de famille ? Suis-je agréable pour Lili ? Jouit-elle vraiment ?

J'étais mort de fatigue et convaincu que je parviendrais à trouver le sommeil malgré ce nouvel échec et toutes ces interrogations existentielles. Je dois l'avouer, le coup du « Lili va t'en trouver des qualités à ton histoire » m'avait un peu tué. Et le rire qui avait suivi m'avait achevé.

Plus de fric, peu d'avenir, hop ! dodo ! À mon réveil, pour me remonter le moral, je ferai lire mon histoire par Lili. Après tout, j'ai toujours une blonde qui m'aime.

6

– Lève-toi! a rugi Lili en repoussant les draps, découvrant ainsi mon corps fragile de blond – c'est elle qui le disait – sensible au froid.

– Hum? j'ai émis.

– T'es pas pour dormir toute la journée! T'es pas un hibou! C'est pas parce que tu t'soûles la gueule qu'on doit endurer ta paresse!

Merde! pensai-je, c'est mon jour de faire le ménage!

La grosse bouchait la fenêtre de la chambre. Je ne pouvais pas deviner l'heure qu'il était.

– Le souper est prêt! a gueulé Lili.

Ah. Il était cinq heures.

Elle m'a balancé mes vêtements au visage pendant que sa grosse-loque regardait la scène en ricanant.

– Qu'est-ce que t'as à crier? j'ai marmonné à Lili.

– J'crie pas: c'est toi qui entends fort!

J'entrepris alors de m'habiller. Ce n'était guère facile avec ces fichus boxers fendus au devant et la grosse derrière qui n'attendait qu'une chose que je me retourne. Et Lili continuait:

– J'm'endors à quatre heures du matin parce que t'as décidé de boire ce qui te restait d'fric... Bien sûr, t'auras pas de paye de *C'est plate mais c'est vrai !* C'est ben plate !... J'ai toutes les misères du monde à me lever pour aller à mes cours, l'après-midi j'me casse le cul à travailler dans une boutique de connes, j'arrive ici pis qu'est-ce que je vois ? Bruyand, ronflant au trot !

Elle m'a bousculé, elle souhaitait faire le lit.

– Laisse faire. Je vais le faire, j'ai doucement dit.

– Écrase !

Pourquoi me dire tout cela devant la coloc ?

– Moi et Lili, on a discuté. On a d'la misère à arriver pour nos cours en travaillant en plus.

Ah, c'est pour ça qu'elle était là :

– Alors, on va t'charger un loyer, elle a continué. Le tiers, cent quarante piasses.

– Rétroactif ! a ajouté Lili, par gentillesse pour sa coloc. Si on compte bien, ça fait cent quarante pour août, septembre et octobre, donc quatre cent vingt piasses.

La grosse aurait pu se taire :

– On te charge pas juillet, t'es pas venu.

Je les écoutais sans broncher. Elles n'avaient même pas terminé :

– En plus, il y a de nouveaux règlements, a repris Lili. Après minuit, plus personne n'entre. Tu couches dehors. Aussi, les fois où tu feras pas ton ménage au jour prévu, c'est vingt piasses d'amende par jour de retard!

– Qu'est-ce qui va arriver avec le vingt piasses? j'ai demandé.

– On va aller manger au restaurant! a lancé la grosse.

Elle a dégagé la fenêtre pour quitter la chambre. Pas trop tôt. Elle n'a pu s'empêcher de laisser ses traces:

– Au moins, comme tu payes ta part de loyer, tu pourras aller aux chiottes faire c'que tu veux!

– J'aurai toujours pas tout perdu, j'ai marmonné en regardant Lili qui terminait de faire le lit.

Je me suis approché d'elle, l'ai prise par la taille. Elle a soupiré profondément puis m'a repoussé avec tact.

– Je suis désolé, murmurai-je. J'm'excuse.

– Il va falloir que tu fasses quelque chose de ta peau, elle a commencé sur un ton plus gentil que quelques minutes auparavant. Tu passes tes journées à rien foutre ou à écrire des sketches qui sont pas joués parce que des crétins les trouvent pas drôles. Tu peux pas passer ta vie de même! En tout cas, pas avec moi!

– À un moment donné, ça va débloquer, j'te le dis!

Elle s'est assise sur le lit, je me suis agenouillé entre ses jambes. Elle semblait désespérée:

– Pour le moment, ça débloque pas, ça rime à rien. Tu perds les années les plus importantes de ta vie, « c'est dans la vingtaine qu'on décide du sort de notre soixantaine », tout ça pour un *show* télé dont le monde se souviendra même pas dans dix ans... Vingt et un ans, t'es encore jeune ! Pourquoi tu retournes pas aux études ?

– Pour étudier quoi ?

Elle n'a rien trouvé à répondre parce qu'il n'y avait rien à répondre.

– J'en ai ma claque des études. De toute façon, les seules concentrations qui valent la peine sont pas à mon niveau. J'en ai pas les capacités...

– Mon cul ! elle a sursauté. T'étais bon à l'école ! Fais-moi pas pleurer !

Comment lui expliquer que j'étais trop bon à l'école ? Comment lui faire comprendre que d'avoir réussi sans travailler et sans effort a fait de moi un paresseux pourri qui doit tout réussir du premier coup sinon j'abandonne ?

Là-dessus, Lili s'est levée et m'a rappelé que le souper était prêt.

7

Nous sommes trois jours plus tard. Du chapitre précédent à celui-ci, j'ai dormi, mangé et regardé la télé. C'est tout. Je n'ai pas dit le moindre mot. Pas un mot! Motus et bouche cousue! Aucun son!

Évidemment, Lili en fut exaspérée, elle gueulait, tout ça. Elle prétendait, et je cite: «T'es trop égoïste, trop égocentrique, j'te comprends pas, etc.» Bon, peut-être. Plus elle gueulait et plus elle se choquait parce que je ne répondais pas. Mon canon ne répondait plus. J'avais un cadenas sur les lèvres et la clé dans l'estomac. Comment pouvais-je avoir fait pour balancer la clé dans mon estomac si mes lèvres étaient bouclées? Néanmoins, j'avais congédié mes cordes vocales. Plus la moindre flèche à tirer. Quand je dis «pas un mot», c'est vrai: le téléphone sonnait et je ne faisais que décrocher. Habituellement, les gens raccrochaient puis rappelaient, croyant qu'ils avaient composé un mauvais numéro. Les gens manquent de confiance en eux. Certains réessayaient parfois jusqu'à quatre ou cinq fois. Peut-être croyaient-ils qu'ils allaient gagner quelque chose?

C'est difficile, malgré ce que semblait croire Lili, de garder le silence pendant trois jours. Même endormi, je m'efforçais de ne pas ronfler, et ce, même si les ronflements sont acceptés par les règlements internationaux du boudage. Lili n'entendait rien, mais vous auriez dû ouïr le raffut qu'il y avait dans ma caboche ! Les mots s'entretuaient, voulaient tous sortir en même temps, se dévoraient entre eux pour survivre. Seuls les méchants avaient le dessus. Toute la rogne que je gardais en dedans se bousculait quelque part près des sinus. J'en suais.

Mes dernières paroles furent : « J'ai écrit une histoire, Lili. » Elle m'a tout simplement répondu qu'elle n'en avait rien à foutre, que cela ne pouvait servir de contribution au loyer et que, de toute façon, la grosse lui en avait déjà glissé un mot. Je me tus.

J'ignore contre qui ou quoi j'en avais au juste. Certes, j'étais déçu de l'indifférence de Lili sur mon compte. Cependant, je ne pouvais espérer plus ; elle avait sa vie à endurer elle aussi. J'avais sûrement beaucoup de rancune à l'égard de Prout-Prout et de ce milieu qui ne voulaient pas faire de moi un des leurs, contre mon père pour s'être appelé Bruyand et ne pas avoir été riche et cardiaque, contre ma mère pour avoir pris la décision de me faire circoncire sans mon autorisation (il paraît que c'est plus terrible lorsqu'on porte toujours le prépuce), contre la société qui me vendait ses cigarettes à six piasses le paquet et contre la grosse conne parce qu'elle vivait, tout simplement, et qu'elle représentait tout ce qui me fait détester ma race dite humaine.

Mais j'en avais surtout contre le Bon Dieu, cet enculé qui m'a fait tel que je suis : lâche, incapable, faible, irresponsable et chétif. J'aurais souhaité m'arracher la peau, revêtir celle du type qui se plaît à travailler puis à se reposer devant son poste de télé. J'aurais voulu être innocent, inconscient, ignorant, impuissant et fier de l'être. J'aurais loué mon âme au diable pour ne pas avoir connaissance de tout ce dont je manque, de tout ce dont je rêve et de toutes ces réussites qui, pour moi, ne se changeront toujours qu'en échec. Jamais avoir eu la moindre ambition. J'aurais voulu me visser la tête du type qui se couche le soir, satisfait d'avoir fait plaisir à son patron, satisfait d'un clin d'œil de la moins pire des secrétaires, satisfait de son fils qui a des soixante-dix en français et dont la maîtresse a dit qu'il était sage comme une image, satisfait d'avoir fait semblant de faire l'amour à sa femme qui a fait semblant de jouir. J'aurais aimé avoir des enfants, les emmener en pique-nique et avoir du bon temps à leur raconter comment j'ai rencontré leur mère la fois où j'avais trop bu, leur prouver que j'aime leur mère, mais qu'elle ne le croit pas parce que mes dossiers au bureau m'empêchent de retenir la connerie de sorte de savon qu'elle a utilisé pour faire disparaître la putain de tache sur la cravate que mon patron m'a offerte quand j'eus réussi à fourrer un nombre maximum de clients.

Sincèrement, j'aurais souhaité me rendre à la messe le dimanche et trouver cela plaisant, au mieux reposant ; aller à La Ronde avec mes enfants et être de ceux qui font la file pendant des heures sans se mettre en maudit contre l'humanité au complet ; aller chez des amis et parler de rien et m'amuser quand même ; aller chez le docteur et ignorer la triste signification de néphrectomie ; aller ailleurs et revenir à la maison heureux d'être de retour ; j'aurais voulu aller nulle part. J'aurais aimé mourir satisfait de laisser plein de fric à ma femme et à mes enfants pour qu'ils s'achètent tous un char et pensent à moi lorsqu'ils auraient un accident. J'aurais voulu être Elvis Presley.

Au lieu de tout cela, ce Bon Dieu que je dessinais en première année avec une barbe m'a donné cent millions de talents, quinze tonnes d'intelligence et un cœur de seize grammes. Il y a eu erreur dans le dosage, ça, c'est sûr ! Quelque part, on m'a eu. Le Bon Dieu m'a donné tout cela du haut de son nuage, tel un orage de marde et « Démerde-toi maintenant ! » Imaginez un analphabète devant un ordinateur, un docteur devant une perte d'huile ou un mécanicien devant une perte de sang dans les selles. J'avais tout! J'ai tout! Et j'ignore comment m'en servir. J'ai dû surprendre tous les *gamblers* du ciel qui regardent le catalogue des nouveau-nés et qui ont tout misé sur ce petit blond qui deviendrait premier ministre avant de savoir aimer. Pour être ce que je suis, le Bon Dieu ne doit qu'être anglo.

Bilan de François Bruyand, né il y a vingt et un ans, un matin sombre de mars. Avenir professionnel: aucun, sinon un emploi de scripteur qui ne garantit que ma perte si je prends une hypothèque (même à cinq pour cent). Avenir amoureux: aucun, sinon une blonde qui ne se sait pas aimer car je ne le lui ai pas montré, faute d'instructions et d'équipement. Avenir tout court: aucune donnée. Si on me prédisait l'avenir à l'aide de café instantané, on me conseillerait de vivre au jour le jour ou pas du tout.

Qu'ai-je fait de ma vie jusqu'à ce sombre jour de l'an de grâce de cette année? J'ai mis mon pipi dans cinq filles en trois ans de majorité. J'ai reçu de l'amour de deux jeunes filles. J'en ai donné à aucune. J'ai reçu tout plein de cadeaux primes: la chlamydia, des champignons, des verres Bugs Bunny et quelques retours d'impôt. J'ai fait faire une mise au point à ma Pontiac: deux cent soixante-dix-huit dollars encore non payés à ma créancière de mère. J'ai des poumons pourris et un dos diésé. J'ai trois amis et demi si je compte le chat de Lili. J'ai une montre numérique obtenue à l'achat de vingt-cinq litres d'essence. J'ai des photos de moi quand j'étais petit. J'ai les pieds qui puent et seulement que d'y penser, c'est atroce. J'ai quatre cordes sur ma guitare électrique qu'il faudrait bien que je songe à vendre si je veux payer ma dette à ma mère. J'ai envie de pisser. J'ai trois cendriers pleins dans ma chambre. J'ai pas d'avenir, de fric ni de situation.

Je m'évalue à moins de dix dollars si on ne compte pas la dette que j'avais contractée envers ma grand-mère et qu'elle a apporté dans sa tombe, Dieu garde son âme. Où donc ai-je trouvé l'argent pour me crever là, dans ce bar vide à quinze heures?

Après trois jours de silence total (on aurait pu entendre voler Belmondo), Lili m'a foutu gentiment à la porte. Avant de partir, je lui ai écrit sur un papier que je n'avais pas un sou. Avec vingt dollars, j'ai pu me faire chier dans un autobus jusqu'à Saint-Hyacinthe, me payer des cigarettes et survivre un peu. Ce jour-là, il pleuvait par-dessus un froid d'octobre qui fait revêtir un habit de motoneige aux enfants par-dessus leur costume d'Halloween. Un temps sous et sur lequel il vaut mieux ne pas s'attarder.

Rien n'est plus moche que Saint-Hyacinthe en octobre. Les portes vitrées du bar sont embuées, le livreur de bière moustachu me glace le dos chaque fois qu'il ouvre la porte au-devant de son diable, et ma table n'est pas de niveau. Rien, vraiment rien n'aurait fait sourire un édenté et, pour être franc, je ne cherchais pas à me réjouir.

J'aurais pu postuler pour un job d'ours ; m'endormir après l'été indien et me réveiller avec les bourgeons. N'avoir, pour subsister, qu'à chasser, manger des fleurs et des papillons et m'abreuver de rosée du matin. Zut, il m'était impossible de jouer à Walt Disney, crever gelé pour me réveiller lorsque le sida sera traité, lorsque les pauvres seront riches et lorsque les hommes vivront d'amour. Bon Dieu, je vais retourner au comptoir.

Au lieu de tout cela, j'aurais dû reprendre ma course folle pour rejoindre ma génération avant que son avance ne soit insurmontable, avant de dépendre d'eux. Pourtant, je ne suis pas un type orgueilleux. Je ne devrais pas me gêner de dépendre de mes contemporains. Nécessairement, il doit y avoir des choses auxquelles je me refuse. Pour avoir une bonne raison de se tuer, on n'a qu'à converser avec un collégien cinq minutes. Pas plus ! Cinq minutes...

Entrevue avec un collégien dans 5, 4, 3, 2, 1 :
– Salut !
– Qu'est-ce que tu fais là ?
– Je fais une entrevue avec toi. Voilà.
– Qu'est-ce que tu m'veux ?

– T'en fais pas, ça fera pas mal : je réalise une étude sur ma génération.

– J'm'en fous ben moé !

– Si tu réponds à mes questions, j't'invite à un *party* !

– OK. Vas-y.

(On pourrait croire que ça ne lui fait pas plaisir. Cependant, vous devez savoir qu'il feint cette affliction. En réalité, il bave à l'idée de se retrouver dans un *party* où il y aura, croit-il, des jeunes filles telles qu'on les voit dans les publicités de gomme.)

Entrevue avec un collégien, prise 2, dans 5, 4,3,2, 1 :

– Salut !

– Ouaille, salut.

– Ça va pas ! Mets-y du tien ! Aussi, fais comme si j'te prenais par surprise ! Comme si tu m'connaissais pas ! Comme si !

– Comme si ?

– C'est ça. Entrevue avec un collégien, dernière chance, dans 5, 4, 3, 2, 1 :

– Salut !

– Salut.

– Que comptes-tu faire dans la vie ?

– Heu ! T'les a les questions ! J'le sais pas encore, c't'affaire !

– Quel âge as-tu ?

– Un gros 19.

– T'étudies en quoi ?

— Avant, j'tais en sciences pures. Là, chu en sciences humaines avec maths.

— C'est quoi, plus précisément ?

— C'est comme les sciences humaines sans maths sauf que t'as des maths. Comprends-tu ?

— En quoi cela peut-il te mener ?

— Ben, heu, en administration, des affaires de même.

Et ça t'intéresse, l'administration ?

— Bah, ouais.

— Ça ne t'inquiète pas de voir qu'un étudiant sur deux veut compter plus tard ?

— Quossé tu veux dire ?

— T'as pas peur qu'on manque de chiffres un jour ?

— Bah, t'es con ! Des chiffres, c'est dans l'infini !

(Ce jeune homme n'a pas d'humour, mais correspond tout de même en plusieurs points à l'image que je voulais que vous ayez de cette génération Mario Bras.)

— Est-ce que tu veux des enfants un jour ?

— Pas avant d'être ben installé !

— C'est-à-dire ?

— Pas avant d'avoir un char, ma maison pis de l'argent d'côté.

— D'accord. Supposons maintenant que tu réussisses pas dans ta carrière d'adminis-trateur...

— Ça m'étonnerait, j'ai des quatre-vingts pourcent !

135

– Mettons!

– Ben, si chu su'l'B. S., je m'f rai des enfants pour pouvoir me payer un char pis une maison.

(Qu'on le veuille ou non, il sait compter ce bougre!)

– En fait, tu veux un char pis une maison?

– Bah, ouais.

– Qu'est-ce que c'est pour toi le bonheur?

– Six heures et d'mie, sept heures!

– Qu'est-ce qui te rend heureux?

– La fin de semaine, quand j'ai pas trop d'affaires d'école à faire.

– Qu'est-ce que tu fais la fin d'semaine?

– Bah, comme tout le monde, j'sors! J'vas veiller!

– Pour?

– Pour rencontrer mes chums, voir des filles.

– T'as pas d'blonde...

– Non. J'l'ai crissée là.

– Pourquoi?

– Bah, était trop collante. A voyait trop loin pour moé.

– Qu'est-ce que t'aime chez une fille?

– Bah, il faut qu'elle soit cute, qu'a soèye intelligente pis qu'à m'laisse sortir avec mes chums une fois d'temps en temps!

– Faudrait qu'elle soit parfaite!

– C'est ça... Aussi faudrait qu'elle ait un char parce que mon père veut pus m'passer l'sien.

– T'as déjà fait l'amour avec une fille?

– C't'affaire!

– Mettais-tu un condom?

– Ça dépend. Quand la fille prenait la pilule, j'me bâdrais pas de ça.

– Et si elle avait eu une MTS? Si toi, tu avais quelque chose?

– *First*, j'ai rien. Deuxièmement, j'tchèquais avant.

– Tu t'intéresses à la politique?

– Non. C'est tout pareil. C'est con raide!

– Penses-tu que le Québec sera un jour indépendant?

– J'espère ben, mais j'vas être mort ce jour-là.

– Tu te vois comment à quarante ans?

– À quarante ans?

– Oui.

– Bah, si y a pas de guerre mondiale, comme ça l'air parti pour, j'me vois avec une maison, un char, une p'tite femme qui travaille à temps partiel pour qu'on se paye des p'tits luxes. J'me vois avec une job de bureau. T'sais, l'genre de job que t'es toujours en dîner d'affaires! T'sais!

– Penses-tu que les Canadiens ont l'équipe pour gagner la coupe le printemps prochain?

– Là, vois-tu, j'crois pas. Ou bedon, faudra qu'y fassent plusieurs changements... Smith, c'est fini, Ludwig pis Walter aussi... J'échangerais

Hayward pour de quoi d'bon à défense...
Quoique les recrues ont le potentiel pour...
Si Lemaire pouvait débarquer, peut-être que
le *next* miserait un plus sur l'offensive...
Nastlund faisait le tour de la patinoire pis y
passait pas le *puck*, Lebeau a l'air d'être parti
pour faire pareil... As-tu déjà vu du hockey
européen? J'te dis qu'eux autres, y font pas
juste *pitcher* le *puck* dans l'coin... Faut dire que
Richer, Savard pis Roy font leur job... Faut dire
aussi qu'y ont le salaire pour : Roy, ça gagne
le million par année. Il l'mérite mais ça fait
des mécontents... T'sais que pour un million,
on pourrait s'payer Brett Hull ou un jeune
comme Turgeon?... C't'écœurant quand tu
penses à ça : des gars de vingt ans gagnent un
million pour « jouer au hockey »!... Moé, ça
m'jette su'l'cul!... Moi, si j'étais...

— Merci.

— Quoi? C'est fini?

— Oui, merci.

— Pis ton *party*? C'est où?

— Ah, c'était juste une astuce pour que tu
répondes à mes questions.

— Christ que t'es cave!

J'aimerais que vous compreniez que
j'aurais voulu être dans sa peau au relief aussi
accidenté que les Rocheuses. Pourtant, quelque
part, mon dedans m'en interdisait. Je me
sentais comme une Caddy avec un moteur de
Plymouth *Relian*. Rien de moins. Rien de plus.

Je crois que j'ai trop bu. Trois grosses Molson et hop! je me retrouve saoul comme un balai et seul comme un quêteux. Enfin, pas tout à fait seul; j'étais avec moi-même et ça me suffisait. Quand j'ai trop bu et que je n'ai pas Lili près de moi, je songe à ma grand-mère. Elle habitait à la maison. Elle est décédée quand je n'accusais que seize ans. Âge ingrat s'il en est un. Pourquoi faut-il que les grands-parents soient toujours vieux lorsque nous sommes jeunes et qu'ils décident de mourir lorsqu'on pourrait commencer à converser intelligemment??? Si elle était là, aujourd'hui, elle aurait certainement autre chose à dire que «Mets ta tuque!» ou «Juste une beurrée de beurre de peanut: on va souper!» J'aurais autre chose à faire que d'essayer de m'en soustraire. Dans la vie, elle n'aimait que lire et fumer: ses deux passions. Sans diabète, elle serait là à me conseiller pour ce sacré roman que je n'écrirai probablement jamais. Elle est morte, n'en parlons plus.

Bon. J'avais fait un bilan de ma vie, bilan négatif, et je me trouvais là, à sec. Devrais-je me suicider? Oui, pour toutes les raisons que j'ai énumérées précédemment. Non, parce que un: je suis peureux, deux: je ferais de la peipeine à certaines personnes, trois: cela mettrait mes parents dans l'embarras et quatre: ça coûte des sous. En pesant le pour et le contre, je me vois contraint par la force inébranlable de la logique à me tuer. C'est mathématique.

Une fois, j'ai connu une fille qui avait tenté de se supprimer. Elle s'est mis le calibre douze de son demi-père sous le menton puis bang! Dans une lettre qu'elle a laissée à sa demi-mère, elle mentionnait qu'elle ne se sentait aimée qu'à moitié. Moi, je dis qu'elle avait un gros cul, une moustache et deux complexes. Une ourse, quoi! Néanmoins, sa demi-mère est revenue de travailler ce jour-là. Elle retrouva l'ourse à demi nue, baignant dans son sang dans le bain du cinq et demie pourtant fort luxueux. La pauvre s'était tirée dans le bain pour que ce soit plus facile à nettoyer afin de ne pas être aimée encore moins. En attendant l'ambulance, la demi-mère a lavé le bain et a changé sa fille de petite culotte. L'ourse survécut.

Aujourd'hui, quand elle nous raconte son histoire, elle a les larmes aux yeux tellement elle rigole. Elle a eu le visage à demi démoli par la décharge du fusil. Chaque Halloween, elle se déguise en monstre et tout le monde se bidonne même si c'est pas juste, qu'on est pas tous pour se cribler de plomb pour gagner le concours du meilleur déguisement. Elle est heureuse : avec les greffes de peau qu'elle a eues au visage, elle n'a plus de moustache. Elle a véritablement tué l'ours qui vivait en elle.

Comprenez tous que je ne me suicide pas uniquement parce que j'ai une moustache.

J'ai quitté le bar avec un dernier souvenir. Quand j'étais tout petit, ça m'est arrivé, mais alors vraiment tout petit, il faisait chaud au mois de juillet. Alors, quand mon père filait un bon coton, il nous embarquait mon frère, ma sœur et moi – dans la voiture, en pyjama, et nous emmenait à la crème glacée terminer la soirée. Je trouvais mon père très gentil, inconscient que ma gentillesse et celle de mon frère et de ma sœur étaient les seules responsables de cette sortie.

Nous faisions trois kilomètres. Ils m'en paraissaient quinze millions. Au bout du rang Saint-François, le véhicule ralentissait, nos langues salivaient et le chien jappait. À trois kilomètres de chez moi, à cet endroit sûrement près de la Chine, il y avait une cantine typique : odeur de friture, comptoir trop haut afin que les enfants ne tripotent pas les *napkins* et les bouteilles de vinaigre, et les tables étaient *sluggy*.

Plus loin, et encore plus haut, il y avait une simple affiche de carton jaunie. Elle indiquait les trente sortes de crème glacée offertes. Nommez-la, ils l'avaient ! Chaque fois, tel un rituel sacré, mon père nous demandait quelle sorte nous désirions. Nous, les enfants, restions bouche béante devant ce tableau énumérant tous les miracles. Mon frère et ma sœur lisaient attentivement, s'esbaudissaient sur chaque essence. Je ne savais pas lire. Mon père me les énumérait toutes, l'une après l'autre. Je choisissais toujours celle que mon père avait présentée ainsi : « Hon ! À l'orange ! »

Il me fallait un « Hon ! » dans la présentation et aucune noix dans la texture.

Nous avions nos pyjamas, parmi les motards qui s'arrêtaient pour faire le plein de poutine. Nous avions fait trois millions de kilomètres, tout près de quatre cents heures de route. Il y avait à notre disponibilité trente essences différentes. Trente ! Et devinez quoi ? Mon père se contentait toujours d'une crème glacée à la vanille ! À la vanille !!! Nous en avions à la maison ! À la vanille !

Ma vie, c'était ça : une vie à la vanille.

8

17 heures 30. J'entre à la maison familiale. Mes parents sont revenus du travail. C'est drôle, mais à chaque fois que j'entre à la maison après un séjour prolongé ailleurs, je reconnais mon odeur, l'odeur riche de mon chez-nous. On a tous une odeur de chez-nous. Ceux qui n'ont pas de chez-nous transportent leur odeur avec eux. J'adore surtout le parfum du chez-nous de chez Lili. Ça sent elle. Quand je lui dis, elle répond que c'est l'odeur de sa grosse colocataire. Je sais qu'elle blague : la grosse conne sent la permanente et les mains gercées.

Chez nous, ça sent le chez-nous avec un relent de poisson, car mes parents mangent beaucoup de poisson pour leur santé. Ils ne sont pas en santé ? Ils mangent du poisson. Ils deviennent en santé ? Ils continuent d'en avaler. Si c'est ça la vie !

Malgré le poisson, chez moi, on est une famille normale. Le genre de famille qui n'écoute de la musique de Noël que dans le temps des fêtes et une fois ou deux en juin. Nous mangeons de la mayonnaise légère pour pouvoir en mettre plus et le trottoir qui passe devant chez nous est à tout le monde et mon père est plus fort que le vôtre et le mien est dans la police et il a déjà été lutteur et il a des tatous et son char va vite et j'en passe. Chez nous, c'est également le chez-nous du chien de mes parents. Il faut faire avec. Avec le temps, j'ai appris à détester les chiens et les chiens, semble-t-il, me le rendent bien. Bref, à la maison, c'est la guerre froide. Et le chien gagne.

Ma sœur est à l'université depuis huit ans. Elle s'instruit pour l'argent ; elle a une grosse bourse, tout plein de prêts et un petit boulot au noir. Elle a beaucoup d'avenir. Mon frère, lui, a choisi de se marier pour se soustraire aux hautes études. Il vend des chars usagés à son compte. Il est honnête comme Job. Donc pauvre. Il prétend que tout le monde peut faire de bonnes affaires avec lui, mais il refuse de m'acheter ma Pontiac pour deux cents dollars. Mon frère, c'est aussi le père de mon filleul. Selon les termes stipulés dans mon contrat de parrain, je me devrais d'emmener mon filleul à l'église chaque semaine. Pour qu'il ne se sente pas lésé dans ses droits, à cinq ans, je lui ai fait signer un contrat stipulant que je ne le traînerai pas à l'église moyennant deux cadeaux au lieu d'un à Noël et à son anniversaire. Cinq ans, âge de raison ! Au lieu d'un gros cadeau, je dois magasiner pour deux petits. Aujourd'hui, à huit ans, il comprend que son mononcle est cassé. Lors de son dernier anniversaire, je lui ai apporté une grosse boîte de carton vide. Une boîte de frigidaire. Pendant deux semaines, il ne jurait que par sa boîte vide !

Aujourd'hui, il ne reste que moi à la charge de mes pauvres parents. À vrai dire, moi et le chien, car le chien leur a déjà coûté une beurrée. Il s'agit de ce genre de chien qui aime les enfants, mais que les enfants détestent. Alors, il se venge sur les fauteuils. C'est aussi le genre de chien qui ne digère pas les fauteuils ni les escaliers en pin. Il vomit deux fois par jour pour se rendre intéressant.

L'odeur, chez nous, c'est un peu tout ça.

— Comment ça l'a été pour toi cette semaine à Montréal ? a demandé ma mère.

— Prout ! j'ai avoué.

— On va-tu enfin voir un de tes sketches à *C'est plate mais c'est vrai !* c'te semaine ?

— Non, j'ai laissé tomber sèchement. Prout-Prout ne trouvait rien de drôle à décaper du préfini.

— C'est plate, elle a dit.

— Mais c'est vrai !

Mon père avait enlevé ses bottines de travail. L'odeur, chez nous, c'est tout ça. J'ai demandé à ma mère ce qu'elle préparait pour le souper.

— Du filet de turbot !

– Je souperai pas ! j'ai lancé. J'ai dîné en plein milieu de l'après-midi. J'ai pas ben faim.

– Tu sais pas c'que tu vas manquer ! mon père a promis.

L'ignorance, c'est le bonheur.

Insensible, ma mère tripotait le turbot. Insensible, mon père retirait ses bas, d'où l'expression «là où le bas blesse».

Je m'apprêtais à retraiter à ma chambre au sous-sol. Je tournais encore la poignée de porte quand ma mère me demande ce que je comptais faire ce soir-là. J'allais lui répondre «me suicider» quand je me suis ressaisi :

– Je l'sais pas !

Elle m'a cru. J'ai continué mon geste. La porte s'est ouverte et je suis descendu au sous-sol, dans ma chambre sombre.

Là, je me suis étendu sur mon lit, dernier réconfort. Rien n'est plus fidèle ni plus tolérant qu'un lit. J'ai longuement observé les carreaux du plafond. Ils étaient jaunis par la cigarette. Il n'y a pas à dire, la cigarette c'est bon à rien ! Je m'imaginai en train de repeindre mon plafond pendant de longues minutes. J'ai bien vidé trois gallons lorsque Lili m'est venue à l'esprit. J'ai alors songé que la dernière fois que je l'avais vue serait bel et bien la dernière. J'ai bien failli avoir le cafard, mais à cet instant précis j'ai commencé à réfléchir à quelque chose de foutrement important : comment font les anglophones pour se rappeler le nom du lac le plus élevé du monde, le Titicaca? Je me suis endormi là-dessus sans avoir trouvé la réponse.

19 heures. Les hurlements de ma mère me réveillèrent:

– François! François! Téléphone!

– Humrg???

J'ai titubé jusqu'à ma table de travail où trônait un téléphone jaune et où l'on ne travaille jamais. Et j'ai répondu:

– Hurg?

– Monsieur Bruyand? demanda une fausse grosse voix que je reconnus tout de suite.

– Lui-même!

– Je me présente, a fait la voix, Bon Dieu!

– Bon, c'est votre prénom?

À l'entendre, le Bon Dieu avait l'air de rigoler.

– Le Bon Dieu est un enculé! j'ai affirmé calmement.

Pico s'est dévoilé.

– Hey! Dis pas des affaires de même!

– Voyons, j'ai fait pour le réconforter, je savais que c'était toi! Si ça avait vraiment été le Bon Dieu, jamais j'aurais dit ça!

– J'espère.

Il semblait choqué un peu. Beaucoup peu. Il a continué:

– Qu'est-ce que tu fais à soir?

– J'vais me suicider.

– Non, mais sans farce, qu'est-ce que tu fais à soir? il a redemandé.

— Je l'sais pas.

Il m'a cru.

— Dans ce cas-là, ça t'tente-tu de venir chez Zaza? Elle fait un *party*!

J'ignore pourquoi les gens appellent cette fille Zaza. Que son père ait eu le culot de lui donner ce prénom, tant pis. Mais que tous l'appellent par son prénom, c'est signe que les gens sont impolis. Ils ont habituellement tant de facilité à trouver des surnoms, pourquoi pas un pour Zaza? Zaza ne fait rien sauf de petites fêtes. Elle a été mariée deux fois. Elle a vingt et un ans. À deux occasions, elle m'a demandé ma main. Je lui ai répondu chaque fois que cela ne plairait certainement pas à Lili. Et Lili opinait de la tête. Elle répliquait qu'on aurait tout le temps de se reprendre. Je n'y tiens pas.

Ne vous méprenez pas: Zaza est très gentille. Trop d'ailleurs. Ses «copains» et «copines» le savent. La vie de Zaza est plutôt banale: ses parents sont séparés. Elle est fille unique. Seule enfant de deux paires de parents, elle s'est vue offrir une automobile, un appartement et plein de fric dans ses poches sans travailler pour. Ordinaire. Aujourd'hui, pour avoir des amis, elle fait des petites fêtes toutes les fins de semaine. Elle rêve de voir sa vie ressembler à une annonce de bière. Elle aurait dû remarquer que dans les messages publicitaires télévisés, on ne voit jamais personne en train de boire. Ses *partys* ressemblent plutôt à des annonces de Valium. Quelque part, elle fait énormément pitié. D'autre part, elle doit faire le ménage chaque dimanche, seule.

La dernière fois où j'ai participé à l'une de ses petites fêtes, je ne suis pas resté longtemps. Lorsque je suis arrivé, personne n'était encore là. Zaza avait le cafard, s'est mise à me raconter qu'elle songeait sérieusement à se suicider, comme on songe à se marier. Je lui ai conseillé de remettre cela au lendemain car ses « amis » commençaient à se pointer. Il y avait un tas de gens que je ne connaissais pas, mais ça ne me gênait pas ; Zaza ne les connaissait pas non plus. Ils paissaient un peu partout dans l'appartement, imitant les disciples de Jones. Personnellement, je considère que la drogue fout l'ambiance par terre. Je préfère de loin les *partys* à la bière et aux pretzels. Ce soir-là, Zaza était sur les aphrodisiaques. Elle a failli se marier sept fois. Je ne me suis pas mouillé. Les quatre types qui l'ont baisée, certains deux fois, lui ont trouvé un surnom : Virus Viral des Virées Vitales. Personne ne portait le condom. Ça ne peut pas leur arriver. Pas à eux, bien sûr. Ils savent très bien que le sida, ça a du bon : tu n'as plus à te préoccuper de ton taux de cholestérol. À la toute fin de la soirée, Zaza semblait rassasiée et désireuse de vivre jusqu'au prochain *party*.

– Qui sera là ?

– Zaza...

– Une chance. Mais à part elle ?

– Je l'sais pas, il a mâchonné, plein de monde !

– Ouais...

– Lili est-tu avec toi ?

– Non. Elle est restée à Montréal pour la fin d'semaine.

– Êtes-vous en chicane ?

– Non, j'ai menti. Elle avait des travaux à faire.

– Ça fait que tu es célibataire en fin de semaine ? ? ?

Pico se réjouissait pour moi. Et il se plaint toujours qu'il est seul.

– Ouais.

– Pis ? Viens-tu chez Zaza ?

– Ouais, mais je resterai pas longtemps.

– Attaboy ! a gueulé Pico. J'passe te chercher vers dix heures !

À dix heures du soir, le monde normal se couche et dort. Moi, ça ne me gênerait pas de me coucher à dix heures. Ce soir, je me trouverai dans une fête où il y aura plein de gens qui ne dorment jamais, qui sont toujours en *party* et qui sont rebelles. Puis, un bon matin, tu les rencontres au centre commercial où ils magasinent avec leur mère. Tu fais passer le mot que le type poussait le carrosse de sa mère chez Steinberg et ce type perd sa réputation. Triste époque.

19 heures 10. J'ai deux heures cinquante devant moi avant que mon denturologiste de copain ne passe me chercher. Que faire ? Comment utiliser le mieux possible ces dernières heures ? Non à la télévision. Non à l'écriture de mon roman qui, finalement, ne fut qu'une aventure. Me masturber ? Pendant deux heures cinquante ? Ouf ! En plus de me tuer, je ne devrais pas sacrifier un milliard d'humains.

Le mieux que j'avais à faire, c'était d'aiguiser un stylo et rédiger ma lettre de départ. Les gens bien, avant de s'enlever la vie, écrivent toujours une lettre dans laquelle ils essayent de ne rendre personne coupable de leur désertion. Les gens bien, ils se trouvent aussi des gens mauvais qui ne se suicident que pour faire chier. Ça m'aurait bouleversé de m'être retrouvé au ciel et de voir mes parents bouleversés par mon geste dit désespéré. Dans cette lettre, je me devais de faire connaître mes derniers vœux. Par exemple, que la chorale funèbre chante youpi-ya-ya-ya-youpi-yé en canon pendant la communion et *I'll be back* des Beatles lorsqu'on sort mon cercueil en préfini. Ce serait une lettre terrible.

Pour être dans une ambiance dramatique, j'ai mis ma cassette de Springsteen dans ma boîte à musique. J'aime surtout *Thunder Road* quand il crie : « C'est une ville de losers, j'sacre mon camp pour m'en sortir ! » L'histoire de la chanson est tétonne – un Ricain a un char et

151

s'en sert pour draguer une fille Ricaine, mais quand Springsteen crie la dernière phrase, j'ai les poils qui se hérissent. C'est le Boss !

Avec cette musique comme fond sonore, et vous noterez qu'il n'est aucunement indispensable d'écouter du heavy métal pour se tuer, j'étais prêt à rédiger mon testament, mon ultime râle littéraire, mon soupir. Pour modèle, j'ai voulu que l'ambiance de ma lettre ressemble à ces lettres du dernier siècle que les grands Técrivains envoyaient à leurs amis pour leur faire part de leur fin prochaine ou tout simplement pour leur faire une blague. Comme *Coup de pouce* et *Châtelaine* donnent plein de conseils sur n'importe quoi sauf sur la façon de respecter l'éthique en rédigeant une lettre avant de se donner la mort ; j'ai pris exemple sur une lettre que Guy de Maupassant écrivit avant de mourir :

« Je suis dans un état abominable. Je crois que c'est le commencement de l'agonie. Je n'ai pas mangé hier soir ni ce matin. La nuit a été atroce. J'ai à peu près perdu la parole, et ma respiration est une espèce de râle horrible et violent. Mes douleurs de tête sont si fortes que je la serre dans mes deux mains, et il me semble que c'est une tête de mort*... »

Nul doute que Momo rigolait comme un malade lorsqu'il a écrit cette lettre pathétique.

---

* René Dumesnil. *Guy de Maupassant*, Paris, Tallandier, 1999, p. 201.

Il en est mort de rire. Momo nécessitait des soins, sa tête n'allait plus. Évidemment, je suis sain d'esprit et je n'ai pas la syphilis comme Ti-Guy. À cette époque, on attrapait la syphilis en écrivant des récits érotiques. C'est vous dire à quel point l'hygiène n'était pas le propre des artistes de cette ère. Encore aujourd'hui, à en regarder certains, on peut toujours devenir débile à écrire.

Deux feuilles de cartable, un stylo bleu pour faire gai et en avant toutes!

Dans le temps de jadis, j'écrivais des lettres. Alors, je sais comment procéder. J'écrivais surtout des lettres d'amour. Il me fallait trois jours pour écrire deux pages de romance et des mois pour accuser réception d'une réaction. Parfois – souvent, devrais-je dire – la réponse ne me parvenait que d'une copine de la victime de ma passion. Depuis ce temps, je n'estime pas le sens diplomatique des filles. Il existe d'autres façons de dire à un type qu'on ne l'aime pas sans user du « t'es trop épais » facile. C'est vrai: après une telle réponse, je me considérais bien niais.

Tout de même, une fois la seule et unique fois, une jeune fille m'a répondu dans la même semaine. Dans une diatribe de quinze pages, elle m'a décrit tous les griefs qu'elle avait accumulés contre ma société. Ma société d'hommes. Je n'ai pas exercé de suivi.

Une seule fois, j'ai reçu une lettre d'amour sans l'avoir quémandée. La fille n'était pas si pire physiquement mais beaucoup trop précoce mentalement. À quatorze ans, elle voulait déjà se suicider et en était déjà à sa deuxième dépression nerveuse. C'était ça ses yeux de cocker. Vu qu'elle en manifestait le désir, nous sommes sortis ensemble deux mois. Deux mois à lui répéter que la vie est belle. Deux mois à chercher le soleil derrière vingt tonnes de nuages. Deux mois à la remorquer en ne sachant jamais quand la chaîne allait briser et qu'elle irait se ramasser dans le champ à bouffer le maïs par la racine. Deux mois à parler comme un baptiste. Soixante jours à endurer ses plaintes au téléphone. « Mes parents sont ci, mon frère est ça, les profs sont ci, mes amis sont ça. » Un soir, j'ai dit à ma mère de me déclarer absent. Caché sous mon lit, j'ai entendu ma mère répondre à la porte et affirmer, sur un ton de mère à fille, qu'elle nuisait à mes études, qu'elle m'embêtait et que si ce qu'elle voulait c'était d'écœurer le peuple, qu'elle ferait mieux d'aller en Chine, qu'il y a plus de gens à écœurer et qui n'étudient pas. Vlan. J'ai su qu'elle étudiait maintenant l'informatique. Il ne faut pas s'étonner que les ordinateurs aient des virus.

J'étais bien loin de ma missive amoureuse. Je devais déclarer ma haine à la vie. Ça coulait de source. Juste pour le plaisir, convainquez-

vous de vouloir vous suicider et rédigez votre
dernière lettre. Des heures de plaisir...

« Chers vous tous, »

Non. Il fallait faire plus simple.

« Chers tous, »

« Eh oui, je suis parti rejoindre grand-
maman, René et Bobino. Ici, il fait beau
chaque jour. Les nuages, je les vois d'en haut.
C'est le paradis, toutes dépenses payées ! Je dis
ça par dérision : au moment où j'écris cette
lettre, vous aurez deviné que je suis bel et bien
vivant. Pour quelques heures encore.

« En ce moment, je suis dans un état lamen-
table. Je crois que c'est le commencement de
l'agonie. La nuit a été atroce. Je suis presque
muet et ma respiration ressemble à un meugle-
ment sinistre, quand j'arrive à respirer. Mes
douleurs à la tête sont si fortes que même deux
aspirines n'en sont pas venues à bout. C'est
la fin. L'autopsie révélera que je suis mort.
Mort non pas d'un mal de tête mais bien d'un
suicide. Un suicide délibéré.

« Si j'ai commis ce geste, c'est uniquement
pour réussir au moins une chose avant de
mourir. Considérez donc ce geste comme étant
une victoire sur les éléments. Surtout, c'est
une grande victoire qui ne nécessita que très
peu de frais. En effet, je n'ai pas eu à suivre de
cours privés de personnalité pour poser ce
geste significatif de mon insignifiance.

« Chère maman, ne t'en fais pas : là où je suis parti, on ne doit pas s'emmerder puisque personne n'en est jamais revenu. Non, cette lettre ne t'apprendra aucun mystère du style "je n'étais pas ton vrai fils" ou autre chose de cet acabit. Tu as vu maman ? J'ai réussi à placer "acabit" dans une phrase ! Tu t'ennuieras sûrement au début mais, à la longue, tu t'y feras. Peut-être même y découvriras-tu des avantage ? Par exemple, tu n'auras plus à laver mes bas, mon linge, tu auras une bouche de moins à remplir et à faire taire, etc.

« Cher papa, demande à maman de te dire ce que je lui ai écrit sauf en ce qui concerne les grands mystères. On ne sait jamais. Si tu t'ennuies de moi, rassure-toi en pensant que tu viendras me rejoindre un jour.

« Frère et sœur, je vous offre mes condo-léances. Je suis parti bien vite. Heureusement, ils m'ont bien arrangé. J'ai l'air propre. J'étais encore bien jeune...

« Lili, très chère Lili, prends soin de ton chat. Je serai franc : ma plus grande erreur fut de t'acheter ce putain de chat. Au fait, je crois que le vendeur du l'animalerie s'est gouré : la chatte qu'il nous a vendue n'est pas une chatte avec des couilles mais tout simplement un chat sans tétines.

« Chers Pico, Andrée, Zaza et les autres, adieu. La mort n'est pas la fin de tout. Il ne reste que peu de choses après MAIS LA MORT N'EST PAS LA FIN DE TOUT ! Qu'on se le dise.

« Cher Mario, qu'est-ce que tu deviens ? On n'entend plus parler de toi et de ta guitare ! Moi, pour le moment, ça va. Cette nuit sera ma dernière. Tu étais, t'en souviens-tu, la seule personne qui me devait de l'argent : vingt dollar. Ce n'est pas beaucoup, mais je souhaiterais que tu les donnes à mes parents afin que les problèmes causés par mon décès leur coûtent le moins cher possible.

« Tous les autres, ne vous en faites pas, je vous emmerde.

« De là-haut, je veillerai sur Ti-Bi, ô mon filleul ! pour qu'il ne devienne jamais humoriste triste comme son mononcle adoré. Je l'aiderai subtilement à devenir une vedette du rock. Il n'y a pas de sot métier.

« De là-haut, sachez que je veillerai sur vous et vos régimes et que désormais, vous pouvez considérer vos frigidaires comme étant hantés. Si vous choisissez de cesser de fumer, je ne vous écœurerai pas. Tout de même, sachez que la cigarette ne m'a pas tué. J'en suis la preuve vivante.

« De là-haut, je veillerai à ce que tous ceux que je déteste vivent malheur par-dessus malheur. On va rigoler ferme ! Chaque fois que leur voiture ne démarrera pas, j'en serai la cause. Chaque fois que la pluie se mêlera à leur pique-nique, je l'aurai provoquée. Chaque fois que leur billet de loterie ne leur rapportera rien, ce sera de ma faute. Séché tous autant que vous êtes !

« Voici maintenant un intermède plus gai : ce que je cède.

« À mon frère : Je cède ma valeureuse Pontiac 73 et tous les avantages inhérents à ce don. La valise est pleine de cossins. Il y en a sûrement pour trente dollars.

« À ma sœur : Je lègue ma guitare, ses quatre cordes et sa caisse de résonance. Je lègue également tous mes *pics*.

« À ce brave Pico : Je cède la dette de cinq dollars que j'avais envers lui. Prends-en soin.

« À mes pauvres parents : Je cède tout l'argent qu'il trouveront dans mes poches et mes fonds de tiroirs ainsi que les profits qu'ils tireront de la vente de leur dactylo et de mes cendriers, en espérant que cela comblera les frais de mes dernières volontés.

« À mon Ti-Bi de filleul : Je lègue tout ce que j'ai écrit et ce qui se trouve dans l'enveloppe où il y a « À ne pas lire ! » écrit dessus à l'encre rouge. Tu y trouveras plusieurs histoires drôles qui ne le seront probablement plus lorsque tu seras assez vieux pour les comprendre. Amuse-toi bien à te moquer de mononcle ! (Parmi les histoires se trouvent quelques nouvelles pornos. Demande à maman de t'aider à les classer.)

« À ma jolie Kiki et nièce : Je te lègue en héritage la permission de lire les trucs que je viens de céder à ton frère. Mononcle te répète qu'il n'est pas gratteux comme tu avais osé l'insinuer lors de ton dernier anniversaire. Il est tristement pauvre. Apprends à mentir et tu seras la plus jolie fille de ta génération. Je t'embrasse sur la bouche. Et ne crache pas!

« Aux autres : Je ne cède rien puisqu'il n'y a plus rien à céder.

« Je termine cette lettre avec rien d'autre que mes dernières volontés. (Non, mais qui suis-je sinon un macchabée pour exiger quoi que ce soit???)

« Tout d'abord, je veut qu'on m'expose debout. Pour changer. Je veux être exposé de la tête aux pieds. Mes vêtements devront être mon T-Shirt noir et mes jeans avec le porte-feuille dans la poche droite. Dans les pieds, je veux mes espadrilles blanches – maman, tu devras les laver avant – et les bas bruns. Pour faire jaser. Au-dessus de mon cercueil, j'exige qu'il y ait un écriteau où vous écrirez au stylo-feutre "Chou pour les curieux!".

« Si possible, j'aimerais que Chevy Chase, Guy Lafleur et Claude Charron viennent se recueillir au salon funéraire. J'aimerais que Bruce Springsteen y soit aussi, mais je crois qu'il se trouvera une excuse. J'ai lu dans *Pop-Ado* qu'il détestait se rendre auprès des morts. Il ne viendra pas mais je ne le prendrai pas personnel. Dans ce cas, invitez Charlebois. Si je vois la binette de Prout-Prout au salon, je lui saute au cou.

« Je veux zé j'exige que matante Carmen débute le chapelet. Lors du cortège qui me mèneras à l'église, klaxonnez et décorez vos voitures. Lors de la célébration, je souhaiterais vivement que le curé soit en bedaine. S'il refuse, demandez à oncle frère Étienne de dire la messe. Même s'il bégaie.

« Ne lésinez pas sur les clowns et les ballons !

« Une fois mon corps enterré, lors de la petite réception, je veux que l'on serve des biscuits Ritz avec des huîtres fumées et de la Molson, "La bière des vrais !"

« Voilà, c'est tout. Sachez que j'aurais préféré vous annoncer que je me suicidais parce que j'ai attrapé le sida dans le métro, mais ce n'est malheureusement pas le cas.

« Salut ben !

François Bruyand BRUF06036809 »

Si j'ai ajouté mon code permanent à la fin de la lettre c'était uniquement pour que mes parents obtiennent des tarifs étudiants pour le cercueil et tout ça. Quelque part, ça me faisait de la peine d'écrire ça. Quelque part, mais je ne sais où.

20 heures 30. Pico ne passera pas avant dix heures. Que faire ? Je suis monté à l'étage. Ma mère relaxait au salon. Elle lisait un bouquin si épais qu'il me donnait le vertige. Le genre de bouquins que la bibliothèque municipale a relié en béton, car toutes les femmes de la ville veulent pleurer en le lisant. Mon père contemplait une partie de hockey à la télé.

— Une partie de hockey à la télé? Un vendredi?

— Ouais, il a fait distraitement. C'est le réseau des sports.

— Contre qui ils jouent?

— Les Canucks de Vancouver.

Les Canucks de Vancouver! Aussi passionnant qu'un premier ministre! Je ne savais pas quoi faire. Ma mère l'a deviné, a baissé son livre et m'a jeté un regard compatissant.

— Tu sais pas quoi faire?

— Bah, je tue le temps. Pico va venir me chercher à dix heures.

— Lis! Tu vas t'instruire!

— J'haïs ça me sentir esclave de quatre cents bouts d'papier insignifiants, de plus être capable de lâcher un livre juste parce que l'histoire est pas pire. De toute façon, de nos jours, le monde écrit des livres qui n'ont même pas d'histoire!

— Ça doit pas être facile d'écrire un roman! elle a soufflé.

«HHHHHAAAAARRGGGG!»

Patrick Roy avait semblé faible sur ce lancer de la ligne bleue. Lui aussi doit avoir du mal à se concentrer contre les Canucks. Mon père ne crie jamais, sauf lorsqu'il regarde le hockey. Il aurait pourtant plus de raisons de hurler devant un téléroman.

Je regrettais d'avoir ainsi parlé du passe-temps préféré de ma mère. J'aurais aimé lire et, après tout, je désirais écrire un roman. À quatorze ans, je voulais vingt disques platine, à vingt et un ans, je rêvais du prix Concours. Soudain, j'aurais tout donné pour n'avoir jamais eu la moindre ambition. Trop tard, j'ai tout cédé à mes héritiers.

Je tâtais le fauteuil. Ma mère me regardait, désespérée de voir un type de mon âge s'ennuyer à mourir. Je me suis levé pour retourner au sous-sol. De la façon dont elle avait laissé tomber son livre sur ses cuisses, j'ai deviné qu'elle aurait aimé pouvoir faire quelque chose pour moi, mais n'y pouvait absolument rien.

Au moins, dans ma chambre, je pouvais faire le vide. C'était la seule façon indiquée pour parvenir à se suicider sans remords. Sans changer d'idée. Dans le fond, j'avais, face au suicide, le même dégoût passif que j'éprouvais à l'action de faire mon lit.

J'allais nulle part, là, dans mon lit. Pour me suicider, il fallait que je me foute de tout le monde. Et pourtant, j'aurais voulu que tout le monde connaisse ma détresse, que tous sachent que je voulais m'enlever la vie. Quelque part, je voulais faire pitié.

Je pensai aussi à Lili. Elle se demanderait pourquoi j'avais fait ça. Pourquoi je ne l'avais pas consultée. Pourquoi je refoulais tout ça. En réalité, j'étais convaincu qu'elle ne saurait pas me comprendre. Je souhaitais seulement qu'elle ne s'en fasse pas pour moi et qu'aussitôt mort, elle m'oublie pour continuer à vivre. Car, et je m'en rendais compte plus que jamais, la Terre allait continuer de tourner sans moi. Ça faisait mal. La une du *Journal de Montréal* et *de La Presse* n'allaient pas être « Le Québec perd un héros » mais plutôt « Canadiens 12, Vancouver 1 » et « Bain de sang dans un plombarium ». Seuls ceux qui m'étaient chers souffriraient de mon départ précipité et je ne voulais pas que ce soit eux qui paient.

Il fallait que je m'endorme avant de changer d'idée. Plus jeune, quand j'avais du mal à m'endormir, je me chantais des chansons de Noël dans la tête. Peu importe la saison. En vieillissant, j'ai changé de méthode. Depuis, j'ai du mal à m'endormir.

Pico viendrait me chercher dans une heure et quelques. Il ne fallait pas que je change d'idée. Il ne fallait pas...

9

– François!... François!

Ma mère criait le nom qu'elle m'avait choisi il y a vingt et un ans avec la même vigueur que si c'était hier qu'elle avait décidé que mon corps répondrait à ce nom banal, ordinaire et nul.

– Ouais? j'ai gueulé à moitié endormi. Les dialogues sont durs quand un étage sépare deux générations.

– Pico est là!

Zut. Je faisais un rêve parfaitement érotique. Ça m'arrive une fois sur mille et il fallait que ma mère et Pico me gâchent ce moment délicieux. Je quittai donc Lili et une copine qui s'en donnaient à cœur joie pour retomber dans la triste réalité: Pico et la super fête de Zaza.

Pico connaissait le chemin pour se rendre à ma chambre. Il l'avait fait cent fois. Pourtant, il ne descendait pas tant que je n'étais pas monté à l'étage pour lui servir de guide. Pico est trop bien élevé. Que les mères se le tiennent pour dit.

– Qu'est-ce que tu faisais? me demanda Pico en descendant l'escalier derrière moi.

– Un rêve porno !

Je ne voulais pas être si méchant, si promptement bête avec lui. Après tout, il ne le méritait pas. Tout de même, je venais de me faire réveiller et, à ce moment-là, je deviens indiscutablement détestable. Tout s'arrange après quelques minutes, trop longues pour les autres.

– Qu'est-ce qui se passait dans ton rêve ? s'informa timidement Pico.

Pico est vierge, puceau, à bras. Je me suis dit : « Pourquoi ne pas lui en mettre plein la vue ? » Il aurait de quoi se branler la nuit venue.

– On était tous là ! j'ai commencé. Moi, toi, Lili et Andrée. Pour une raison qui m'échappe mais qui était certainement valable, Andrée t'a sauté dessus, t'a déshabillé puis s'est mise à te faire tout ce qu'une femme aime faire avec un homme. De mon côté, ça n'allait pas trop mal non plus : j'ai joui quatre fois en dix minutes pendant que Lili collectionnait les orgasmes. Ensuite, le chien s'en est mêlé, mes gerboises, et tout ça. Je t'épargne les détails !

– Ouais, c'est juste un rêve, a soupiré le puceau.

Je le savais avant de commencer mais ne l'ai réalisé qu'après : Pico est sensible. Je n'aurais jamais dû terminer avec ce segment, répliquer avec ces quelques mots :

– C'était encore plus terrible que dans tes magazines en papier glacé!

Après tout, avant de tremper leur bite, presque tous les mâles ont recours à ce genre d'artifices. Même moi, si! si! jadis je ne pouvais regarder les femmes de ma vie si la lumière créait un reflet. Mais que font donc les filles? Les photos-romans? Les publicités de Winston dans le *Woman's Day?* La pornographie, de toute façon, n'est plus taboue: bientôt, le Vatican publiera son propre matériel porno qu'il distribuera à ses prêtres pour les rassasier. Ce matériel, dûment autorisé par le pape, présentera des sœurs dans des poses suggestives faites sans la moindre mauvaise intention. Les membres du clergé se dresseront devant ce genre de choses mais leur manque de volonté les fera ramollir. Ce sont des hommes, non?

Pico ne parlait plus. J'en ai profité pour changer de T-shirt et de chaussettes; ce qui sent le plus. Puis, il a brisé le silence:

– Comment va Lili?

Le silence hurlait d'avoir été dérangé pour une question si indubitablement inutile.

– Bien.

Ce sujet ne m'inspirait aucune conversation. J'essayais de ne pas penser à elle par tous les moyens.

– Toi? Comment ça va?

– Pas si pire.

– Ça va les dentiers?

– C'est la saison morte. Mais j'suis sûr que les affaires vont reprendre après l'Halloween.

– C'est sûr ! j'ai répondu. Tous ceux qui ont un dentier vont se le dérinnecher sur des clannedaques !

– Non, c'pas ça...

Si c'est pas ça, qu'est-ce que c'est ??? Moi, à l'Halloween, les gens de mon quartier me donnaient des pommes. Je n'avais pas, et c'est ainsi jusqu'à ce jour, de dentier, ce qui ne m'empêchait pas de les fronder sur les murs de l'école avec mon frère. Plus jeune que lui, je lançais donc les pommes moins fort. Elles ne se brisaient pas toujours. Je pouvais donc les reprendre et les lancer une seconde fois. Mon frère n'avait pas ce plaisir. Le soir, je me couchais et culpabilisais en songeant au petit Noir de l'annonce d'OXFAM. Aujourd'hui, je veux me suicider. Mon frère, lui, devait se coucher et rigoler en songeant que c'est Yvon Deschamps qui était porte-parole pour OXFAM. Aujourd'hui, il vend des chars usagés.

Je décidai, Dieu me vienne en aide, de ne plus agir avec méchanceté auprès de Pico. Après tout, il ne me restait que quelques heures de vie et, de plus, je devais le convaincre de m'acheter ma collection de timbres, histoire d'avoir assez de fric pour me procurer de quoi bousiller ma vie.

– Tu collectionnes les timbres ? j'ai demandé poliment.

– Non.

– Aimerais-tu collectionner les timbres ? j'ai insisté.

– Bah...

– Veux-tu voir mon album ?

– Ben, on n'a pas trop le temps ! On va chez Zaza !

– Si on arrive aussi tôt, on va avoir l'air tata ! Assis-toi, j'vais chercher mon album !

À la course, je suis monté à l'étage. Mon magnifique album de timbres niaisait sur la tablette supérieure de la bibliothèque de l'ancienne chambre de mon frère. Avant de descendre, j'ai passé un linge humide dessus. Ça faisait bien dix ans qu'il n'avait pas été ouvert.

– Regarde ! j'ai lancé à Pico, essouflé à mort.

– 30 000 timbres ??? il a fait, les yeux grands comme les yeux d'un gros loup.

– Ben non, j'ai expliqué. L'album peut contenir 30 000 timbres ! J'en ai une bonne centaine !

– Ah, il a marmonné, déçu.

– J'en ai pas beaucoup mais ils sont beaux !... Ils sont tous classés par pays !

– Danzig ??? C'est où ?

– En Afrique ! C'est un vieil album avec des vieux pays ! ...Regarde ! La Hongrie ! J'en ai plein de c'pays-là !

– C'est pas des timbres de la Hongrie ! il a beuglé, ignare de son état. C'est des timbres de Magyars !

– Eh! Magyars, c'est Hongrie en hongrois!

– Comment ça se fait que t'as autant de timbres de la «Hongrie»?

Je n'aimais pas sa façon de dire Hongrie. On ne parle pas comme ça d'un pays qui imprime de si jolis timbres.

– C'est simple! Si tu veux des timbres, t'as juste à envoyer un carton d'allumettes avec trois piasses!

– C'est comme ça que t'a procédé?

– Ben... heu... un peu.

– En as-tu du Canada?

– Plein! Pis des vieux-vieux en plus!

Je cherchais Canada dans mon Statesman Deluxe Album en réfléchissant très fort aux mille façons de lui faire apprécier mon loisir d'enfant.

– Tiens! Canada! ... Regarde celui-là s'il est vieux!

– Y est pas vieux, jugea-t-il.

– C'est la reine Victoria qu'il y a dessus! j'ai hurlé.

– Oui, mais ce timbre-là est neuf! C'est un timbre des années mille neuf cent mais il est neuf!

– C'est parce qu'il a été réédité, tout simplement! j'ai expliqué.

– Alors, il ne vaut absolument rien!

– Non! Il vaut une fortune parce que je suis rusé! Il fut réédité pour les collectionneurs, mais les collectionneurs n'en ont pas voulu! Il ne valait rien! Je suis donc l'un des rares collectionneurs à le posséder! Ainsi, il vaudra le triple dans dix ans!

— Trois fois trois sous, ça donne encore seulement neuf sous!

— Oui, mais mon album est plein de rééditions!

Il l'achèterait ou je ne m'appelais pas François Bruyand!

— Tiens regarde! C'est la reine Elizabeth quand elle était jeune!... C'est drôle qu'elle fasse le même sourire con sur un timbre d'un sou que sur un timbre de cinq, non?

— C'est pas mal comique! ironisa mon ex-ami. Dans le fond, collectionner les timbres, quossé ça donne???

— C'est moins encombrant que collectionner des voitures! j'ai répliqué du tac au tac.

— M M M ouais...

Il pensait à son affaire. C'était bon signe. Pendant qu'il se grattait le menton, je lui montrais du doigt mes plus beaux timbres: un avec des violettes cucullées, un avec Expo 67, un avec des autochtones, un avec des autos d'autrefois, un qui vaut un dollar, un jaune, un avec Sam Mc Gee en feu, et un autre avec Jesous Ahatonhia, et un autre avec Dollard des Ormeaux. C'est ça une nation multiethnique: toutes sortes de héros. Comme si les Allemands avaient des timbres avec Hitler et Karl Marx.

– Je te la vends pas cher !

– T'as besoin de fric ? il a discrètement demandé.

– Un peu, j'ai simplement répondu.

– Combien ?

Là, je ne savais pas quoi répondre. Je n'ai jamais tenté de me suicider. J'ignorais donc pour combien d'argent on devait acheter de pilules. Je n'avais aucune expérience dans le domaine. Et ceux qui pouvaient m'aider s'étaient tous manqués. Ils ne constituaient pas nécessairement une bonne référence.

– Prout ! j'ai produit avec ma bouche, une cinquantaine de piasses !

– Bon. Alors, je t'achète ta collection de timbres pour cinquante piasses !

Normalement, j'aurais refusé. Ma collection valait bien cent à deux cents dollars. Je ne l'avais pas touchée depuis dix ans, en espérant qu'elle prendrait de la valeur avec le temps. Je venais tout juste de parvenir à m'endormir chaque soir sans me demander à combien ma collection de timbres était rendue ! Mais, sans réfléchir plus longuement, je me suis convaincu que ma collection de timbres dans mon superbe Statesman Deluxe Album n'allait plus me servir.

– D'accord pour cinquante piasses ! je topai là. Sauf que j'ai besoin de cinquante piasses maintenant !

– Tout d'suite ??? s'étrangla Pico.

– Oui! Cinquante tout d'suite ou cent demain! je bluffai.

– OK, OK!

J'en étais sûr! Pour Pico, il n'y a aucun problème : le fric, il en sue!

– En allant chez Zaza, on arrêtera chez ma tante. Mon fric est là! convint Pico.

Brave garçon.

– Tu verras, j'ai lancé, une collection de timbres, c'est des heures et des heures de plaisir!

– J'en suis sûr! il susurra.

Pico n'habite pas Saint-Hyacinthe, la Jolie Hypocrite. Mais il a grandi chez sa tante, pas très loin de l'hôpital et de la pharmacie. Son père négociait des machins pour l'Hydro en Chine ou dans ces pays-là et sa mère dansait dans *Jeunesse d'Aujourd'hui*. Il a donc grandi chez sa tante. En fin de semaine, même si sa mère ne travaillait pas, il demeurait à Saint-Hyacinthe car tous ses potes étaient d'ici. Aujourd'hui, lorsque Pico descend à Saint-Hyacinthe pour la fin de semaine, il dort chez sa tante. Il se sent chez lui. Quoique chez sa tante ça sent surtout les médicaments. Elle est très malade. Elle en fait son état civil. Elle fait également de la lasagne. La reine de la lasagne, c'est elle.

J'ai glissé mon album de timbres dans un sac, l'ai remis à Pico, puis j'ai engagé l'escalier pour qu'il nous sorte de là.

On prend mon auto, a décidé Pico. J'ai pitié de la tienne !

Je n'ai pas argumenté. La voiture de Pico, c'est la huitième merveille du monde. On y est mieux assis qu'en avion. C'est terrible ! La radio blaste mieux que ma boîte à musique ; on s'y sent un peu comme dans une salle de démonstration de chaînes stéréo : ça sent le tapis. On est sur un nuage et la musique semble sortir tout droit du ciel. La voiture est noire comme la vitesse l'exige. C'est très salissant, mais j'imagine que lorsqu'on a une telle voiture, on prend un malin plaisir à la faire luire. Si je possédais une voiture comme celle de Pico, est-ce que je voudrais me tuer ?

Tout de même, l'intérieur était frisquet. Je déteste. Seulement octobre et déjà la chaufferette qui assure. Cartier, si t'avais voyagé !...

Arrivés chez la tante à Pico, il a garé la voiture dans la cour, il a pris mon album rempli de timbres, puis est sorti avec l'intention de me ramener du fric. Un tas de fric ! Pendant son absence, j'ai fouillé le coffre à gants et j'en ai sorti, devinez quoi, des gants ! Sous ces trois gants différents, j'ai découvert la cassette du dernier Renaud. Je l'ai glissée dans la radio-cassette et j'ai monté le volume.

Je voyais le Père Noël en écoutant « La mère à Titi » quand j'ai aperçu Pico déboucher au bout de la cour. Il me faisait de grands signes. On aurait cru qu'il voulait faire fuir tous les moineaux du pays. J'ai rigolé. On aurait dit Prout-Prout dans son sous-sol en train de décaper son préfini. À moins que ce ne soit Icare sautant du mont Saint-Hilaire.

Quelque part, j'ai compris qu'il désirait que je le suive à l'intérieur de la maison. J'ai stoppé la radio, retiré la clé puis j'ai quitté la voiture.

– Qu'est-ce qu'y'a? j'ai crié.

Pico a répondu avec ses bras. Flap! Flap! Je l'ai suivi.

Je pensai qu'il avait découvert un filon d'or ou trois cents filles nues chez sa tante. Je ne croyais à aucune de mes suppositions. On est entré sans enlever nos souliers. J'ai trouvé cela étrange car, habituellement, Pico demande toujours aux gens d'ôter leurs souliers. Chez sa tante, c'est comme ça. Elle n'a plus la santé pour penser ménage. Sa balayeuse a son âge. Mes souliers n'étaient pas plus sales que les autres jours. Pourquoi ce jour-là??? Pico ne semblait pas avoir la tête à songer à ses pieds.

– Qu'est-ce qu'y'a? je répétais en le suivant.

Muet! Il se la fermait comme une carpe pêchée dans la Dame et qui est fière d'en être sortie. Aucun son!

Nous sommes parvenus au salon. La télévision allumée lançait ses rayons bleus à qui mieux mieux. C'était les infos, inspirées de Stephen King. On y parlait de la Tchécoslovaquie ou de quelque part difficile à épeler dans ce genre. J'ai regardé Pico. Pico regardait sa tante. Elle n'avait plus besoin des reflets de la télé pour ressembler à un bleuet.

Chenoutte.

Depuis combien de temps la télévision parlait-elle toute seule ? Est-ce que cela gênait Bernard Derome ? J'ai observé le corps inanimé de la reine de la lasagne de la tête aux pieds. Elle portait des pantoufles en Phentex. J'ai regardé le sol. J'y ai vu mes pieds, surtout mes souliers. Mes souliers pas plus sales que d'habitude sur le délicieux tapis orange – elle en avait un ! – du salon.

Pico s'est laissé choir sur le divan, aux côtés de sa tante morte. Il a éjecté un long soupir. Pendant ce temps, je ne savais pas quoi faire de ma peau. Il a cessé son soupir puis on s'est regardés : j'ai compris qu'il n'était pas triste. Il savait bien que c'était la meilleure chose qui pouvait arriver à sa tante. Cependant, son soupir avouait qu'il aurait eu autre chose à faire que d'assumer cette mort, qu'il aurait souhaité que cela survienne un autre jour, que quelqu'un d'autre la trouve. Le camelot du *Journal de Montréal,* par exemple.

Je me suis assis à la gauche d'Emelda. C'était son nom. Sur le sofa, Pico et moi de chaque côté, rien n'était gai. En d'autres temps, j'aurais lancé quelque chose dans le genre : « On r'garde-tu sa noune ? » ou quelque chose comme ça, pour rigoler un peu. Mais ce jour-là, j'aurais paru déplacé.

J'ai pris une cigarette, j'en ai offert une à Pico et à la reine. Pico et moi nous sommes allumés puis il a déposé un cendrier sur les cuisses de sa tante. On ne parlait pas. On ne savait pas quoi dire : ça allait tellement mal en Tchécoslovaquie !

On a pu terminer notre cigarette avant que Pico ne dise quoi que ce soit :

– Qu'est-ce qu'on fait ? il a alors lancé. J'sais pas.

– On appelle la police ? j'ai proposé.

Pico a pris un grand respir. J'ai étouffé. Ça l'aidait à réfléchir mieux. Il a écrasé sa cigarette et le cendrier a glissé entre les jambes de sa tante. La jaquette de la pauvre dame morte débordait de cendres et de mégots, mais je n'ai pas pris l'initiative de l'en débarrasser. Pico s'est levé. Au même moment, la tête d'Emelda a glissé de son épaule pour se retrouver dans ses seins. J'ai fait un saut. Tout comme Pico, j'ai préféré me lever que de rester assis sur le divan. Pour me dégourdir les jambes.

– Peut-être qu'elle n'est pas morte-morte ! j'ai imaginé.

Je ne connaissais pourtant rien là-dedans, mais Pico a pensé que j'avais peut-être raison.

– J'appelle-tu une ambulance ? il a demandé.

– Appelle ton père, j'ai suggéré. Après tout, c'est sa tante à lui aussi.

– Bonne idée !

Sans penser plus longtemps, Pico est parti à la cuisine pour appeler son père. Je me suis retrouvé seul au salon en compagnie d'une morte. Gentille, mais morte tout de même. Dans moins de vingt-quatre heures, j'allais avoir l'air de cela. On aurait dit qu'elle était faite de pâte à modeler ou de cire. Je me suis approché d'elle et je l'ai touchée pour la toute première fois. Brrrrr ! Elle était tout à fait morte. Aucun doute ! Je l'ai laissée seule avec les infos pour aller rejoindre Pico à la cuisine. Il circulait de long en large, tout en discutant au téléphone avec son père.

— Non, il a dit à son père... Veux-tu qu'on vérifie ?... D'accord ! François, vérifie le pouls de ma tante !

— Le pouls ?

— Oui ! Le pouls ! Ce qui sert à voir si on est mort ou non !

— OK, OK, j'y vais.

À la télé, il n'y avait plus d'informations. C'était une publicité de bière où l'on voit toutes ces femmes en costume de bain en plein mois d'octobre. J'ai cherché le pouls de madame Chose-morte.

— Non ! j'ai affirmé en revenant à la cuisine. Je l'ai tâtée partout mais je n'ai pas trouvé le moindre pouls !

— Elle est bien morte ! a lancé Pico à son père.

J'ai ouvert le frigidaire et je nous ai sorti deux bières fraîches.

Oui... Bah... Oui... Oui... Bah... Oui... Je déteste lorsque les gens ne disent que des «oui» et des «bah» au téléphone. Ce n'est pas intéressant pour ceux qui n'entendent pas l'interlocuteur. Finalement, Pico a raccroché le combiné.

— Pis? j'ai questionné.

— Bah, mon père dit qu'il n'y a rien à faire.

— Pis?

— Bah, il s'en vient, y va régler ça. Il veut seulement qu'on ne la laisse pas toute seule pour le moment.

On s'est rendus au salon où on a pris notre bière. Elle n'avait pas bougé.

— Si on la couchait sur le divan? j'ai proposé gentiment.

— Ouais, pourquoi pas?

Ni lui ni moi ne bougions. Ni Emelda.

— Bah! a soudainement lâché Pico, elle va rester si longtemps couchée qu'on est peut-être mieux de la laisser assise pour le moment!

J'étais bien d'accord. Pico est allé chercher une couverture et l'a déposée sur sa tante.

— On lui ferme les yeux? j'ai risqué.

— Non, a répondu distraitement Pico. Ça va tellement mal en Tchécoslovaquie, vaut mieux pas!

Si un livreur de pizza était entré dans le salon, il aurait pu tout simplement croire qu'Émelda avait rendu l'âme devant la télé.

Plein de gens meurent chaque jour devant leur téléviseur...

Pico s'est assis sur le Chesterfield. Il tétait sa bière comme un bébé tète une bière. Il avait encore son manteau sur le dos. Moi aussi d'ailleurs. Mais ça ne me fait absolument rien : il est très joli mon manteau. C'est une doudoune en plumes d'oie. C'est plutôt chaud pour octobre mais parfait pour janvier. Le genre de manteau parfait.

J'errais dans le salon, je tâtais les bibelots, tout ça. J'ai fouillé la collection de disques de la reine de la lasagne. Entre un Ginette Ravel et un Pier Béland, j'ai sorti un Mozart, le Requiem, par l'orchestre de Berlin.

Pico m'observait avec suspicion. J'ai allumé l'amplificateur, éteint la télévision puis j'ai mis le volume au maximum. Lorsque l'aiguille est tombée sur le vinyle, on a entendu un immense Pouc ! J'ai bien cru que je venais de bousiller la chaîne stéréo de la vielle dame morte.

Les violons et les voix nous embaumaient. Je me suis assis par terre. J'évitais le regard du lampadaire municipal qui s'immisçait dans la pièce. Insolent ! Cette musique me jette à terre. Ça pue la mort et, après cette pensée, j'ai commencé à trouver que la vieille dame ne sentait guère la lasagne.

Pico parlait tout seul. On ne pouvait voir ses lèvres remuer mais j'étais convaincu qu'il se racontait quelque chose. En calculant combien de temps on pouvait mettre pour arriver de Brossard, je suis parvenu au résultat qu'il nous était possible de nous envoyer une autre bière. Comme j'ouvrais le frigidaire, le Kyrie commençait et moi, ça me donne le goût de danser.

Le frigidaire m'a encore refroidi : la vieille dame ne buvait jamais de bière. Elle ne buvait jamais et pourtant, elle achetait de la Budweiser. Si elle avait bu !

J'ignore si ce sont les émotions que nous venions de vivre, mais ma première bière m'avait déjà engourdi l'esprit. Pas assez tout de même pour m'empêcher de remarquer le restant de lasagne qu'il y avait dans le réfrigérateur, sous trois tonnes et demie de Saran Wrap. Elle devait en avoir mangé au souper. Vu l'état dans lequel se trouvait la reine, j'ai failli en prendre une bouchée : ce serait moins dispendieux que des pinunes !

Ça a été long avant que le père de Pico n'arrive. Au moins trente minutes. Pendant tout ce temps, j'ai réalisé que, un : Emelda m'avait volé le *show*, deux : j'aurais l'air de ça une fois mort, trois : Emelda n'achetait pas beaucoup de bière.

— Salut ! a lancé papa-Pico en entrant dans la maison.

— Bonjour, j'ai répondu.

Je me trompe souvent entre bonjour et bonsoir.

– Salut p'pa!

Nous étions maintenant tous les trois au salon à la regarder. Non, elle n'avait pas bougé.

– Maille! Maille! Maille! a soupiré Pico-père.

Lui aussi a cherché le pouls. Lui non plus ne l'a pas trouvé.

– Elle est morte-morte! il a dit.

– Ouais, a renchéri Pico.

– On dirait qu'elle est morte heureuse! a proposé le père.

– Elle ne devait pas avoir de parenté en Tchécoslovaquie! j'ai lancé pour détendre l'atmosphère.

Lorsque les gens meurent à l'hôpital, c'est plus simple. On n'a pas à se poser mille questions: ils meurent malheureux!

– Bon ben, c'est correct les gars! J'vas m'occuper de ça! Si vous avez quelque chose à faire ailleurs, ne vous gênez pas!

– Qu'est-ce que vous comptez faire? j'ai demandé.

– Bah, j'vas appeler la police. Eux autres pourront me dire quoi faire.

(Dans la famille de Pico, tout le mode dit «Bah». C'est héréditaire.)

Sans un mot, Pico s'est levé. J'ai gardé mon manteau et nous sommes partis. Je n'étais pas déçu de partir. L'ambiance frôlait la démence. J'aurais, et de loin, préféré qu'on se mette à genoux et que l'on fasse brûler des lampions.

Chez le monde normal, c'est de cette façon que ça se passe. Allumerait-on des lampions pour mon humble mémoire ?

L'appartement de Zaza est situé pas très loin de chez la tante morte de Pico. On a pris la voiture quand même. La génération Nintendo ne marche pas.

La ville était noire. Peut-être par respect pour la mort d'Émelda ? À Saint-Hyacinthe, même un vendredi soir a l'air d'un mardi. Il n'y avait personne dans les rues. Vingt-trois heures trente et les Maskoutains dorment. Bien sûr, les jeunes gagnent les bars et brasseries à cette heure. Mais des jeunes, ici, il n'y en a pas suffisamment pour attraper le sida.

En passant sur la rue Dessaules, j'ai remarqué une voiture stationnée qui ressemblait à ma Pontiac. J'ai aussitôt pensé à elle. Elle que personne d'autre que moi ou le garagiste n'arrive à faire démarrer, elle se sentira bien seule lorsque je ne serai plus de ce monde. Je vais mourir cette nuit et je n'ai pas osé prendre le temps de faire le ménage à l'intérieur de mon bolide. C'est aussi gênant que de mourir avec des caleçons sales ou bleus. Au fait, songeai-je, il ne faudra pas que j'oublie de changer de caleçon avant de m'enlever la vie. Des histoires pour faire honte à ma pauvre mère...

En chemin vers chez Zaza, j'observai la ville avec beaucoup de sérénité. Elle ne s'arrêterait pas pour moi elle non plus, ça, c'est sûr! Je me demandai alors s'il y aurait des rues, des boulevards, des feux de circulation et tout ça au ciel. Peut-être bien? Il y a tellement de monde là-haut qu'ils doivent même avoir leurs problèmes d'urbanisme. Est-ce que j'allais reconnaître Saint-Pierre? Il ne faudrait pas que je me goure. Il a sûrement une robe et une barbe. Jésus, c'est celui en bedaine avec une couronne d'épines. Lui, je devrais le reconnaître facilement. Est-ce qu'il y a une Halloween au ciel? Est-ce que les gens vieillissent pour l'éternité? Ce serait con que les enfants restent enfants pour toujours: quoique ce serait tout aussi con que les vieux vieillissent pour toujours eux aussi!

Est-ce que l'on m'accueillera à bras ouverts ou est-ce que l'on me fera sentir que je me suis invité? Pourquoi Colargol, un ourson en peluche, a tant d'amis?

10

Pico a garé sa voiture à trois coins de rue de chez Zaza. On ne sait jamais comment une petite fête peut tourner. Et une peinture noire, ça coûte bonbon. Nous sommes arrivés chez notre hôtesse les mains vides, mais nous savions que notre seule présence la réjouirait. Nous sommes les deux seuls types à ne nous être jamais battus chez elle. Cependant, nous prenons un malin plaisir à regarder les autres s'entretuer comme des cons, pour du fric, de la poudre et d'autres machins de ce genre. Dans ces moments-là, je m'approche de la bagarre, une bière à la main, et je la sirote en admirant le genre humain mâle. Ça se termine toujours ainsi : celui qui a le moins d'amis se fait foutre à la porte. Ceux qui restent rigolent et moi j'ai pitié du rejeté. J'ai un cœur de grès.

D'autres auteurs vous feraient remarquer qu'il faisait un froid de canard et que le ciel était noir comme le poêle. Évidemment ! On était la nuit ! Moi, je ne vous en parlerai pas.

Zaza demeure au centre-ville dans un deux-logements où le feu ne manquera pas de prendre un bon jour la nuit. Elle doit aimer le risque pour vivre dans un pareil taudis. Moi, habiter là, je ne dormirais pas de la nuit. Je la passerais à fouiller partout afin de voir si le feu n'est pas en train de prendre quelque part. Je toucherais chaque poignée de porte en m'inquiétant si leur température était plus élevée que la normale. On a tous nos phobies.

On aurait facilement pu garer la voiture en face de chez Zaza : il y a un stationnement. Une ancienne demeure rasée par les flammes. Je me souviens encore du soir où la cabane d'en face a flambé : on était en décembre, l'an dernier, et le froid aurait fait briser deux bûches. Je me trouvais chez Zaza en compagnie de Lili et d'Andrée. Nous étions au salon à triper sur le plus récent Tom Cochrane. À un moment donné, le frimas qui couvrait entièrement les fenêtres du salon est devenu orange. On aurait dit du Tang. On a alors tenté de voir au travers des vitres, mais ce con de frimas nous coupait la vue. Sans nous consulter, nous sommes tous sortis sur la galerie afin de goûter notre curiosité.

Sur le perron, on suait sans manteau. En face, les habitants sortaient en masse, sans traîner leurs restes. Des chambreurs qui ne possédaient que leur peau. La plupart ont remarqué que nous étions sortis et se sont ainsi dirigés vers nous. Pendant que Zaza leur demandait « Comment ça va ? », j'appelais les pompiers. Zaza les a hébergés jusqu'à l'arrivée des secours qui n'arrivèrent pas vite. Les chambreurs se sont vite réchauffés : le bar de Zaza est toujours plein. Constatant que les secouristes n'avaient que couvertures et paperasses à offrir, ils ont choisi de terminer la fiesta chez Zaza. Tout le monde était saoul et tous s'amusaient. Je n'ai jamais vu un incendie rendre des incendiés si heureux. Aujourd'hui, Zaza a un stationnement en face de chez elle.

Sur le trottoir, devant chez elle, on entendait Louis Armstrong nous chanter *Cabaret* avec sa voix qui sonne comme une trompette. Il n'y a que chez Zaza où l'on entend ce genre de musique. Une fois de temps en temps, ça fait du bien. La musique était si forte dans la rue que moi et Pico nous sommes regardés sans rien dire. Pico est passé devant, il a tenté de grimper les trois marches de l'escalier sans se casser le cou. Je suivais. Il a sonné. Ça n'a rien donné. Au-dessus de la sonnette, il y avait un billet qui annonçait qu'il fallait sonner plus fort. Pico a pressé plus vigoureusement sur le piton. Zaza ne devait rien entendre à l'intérieur. Nous sommes entrés.

Ce serait un véritable travail de moine que de décrire l'intérieur du logement de notre hôtesse. Il y a tellement de cossins que Zaza n'époussette plus depuis belle lurette. Je ne saurais la blâmer. Les murs sont jaune cigarette, les meubles sont rouge et brun, mais surtout ça pue le chat. Et quand je dis que ça pue, je ne dis pas que ça pue : je dis que ça pue. Huit chats ! Qu'est-ce qu'on peut bien foutre avec huit chats ? Zaza ne les reconnaît même pas ! N'importe quel intrus peut se glisser dans la maison et bouffer du Cat Chow sans qu'elle ne s'en aperçoive. L'odeur de litière vous colle au palais dès que vous franchissez le pas de la porte. Après une demi-heure, on est tellement habitué à cette puanteur qu'on peut boire une O'Keefe et ne pas y trouver d'arrière-goût. Quand je vais chez Zaza, je ne peux tromper personne à mon retour : tout le monde reconnaît l'odeur de merde qui s'imprègne à mes vêtements. Ma mère va même jusqu'à ne pas laver mon linge avec celui des autres, de peur que l'odeur se propage. Je n'ai qu'une crainte : que vous ne saisissiez pas à quel point ça pue. Zaza pue aussi, mais elle ne mord pas. Alors, on l'aime bien. Et ceux qui veulent l'aimer encore plus n'ont qu'à le demander poliment.

En entrant, je me suis dirigé vers le bar. J'ai préparé un Screwdriver pour Zaza. Elle ne boit que ça et, moi, je ne bois rien qui dépasse cinq pour cent d'alcool. Pico, de son côté, s'est mis à la recherche de la belle. Il a baissé la chaîne stéréo et hurlé : « Y a quelqu'un ? » Zaza est apparue. Toute nue.

— J'sors de la douche, elle a dit.

Elle se lave donc.

— Assisez-vous, elle a continué. Ça s'ra pas long !

— Reste comme ça ! j'ai blagué. T'es tellement plus jolie !

Elle a émis de jolis petits ah, puis elle est allée s'habiller un peu, pas beaucoup plus.

Pico s'est rendu à la cuisine nous chercher quelques bières. Je dis quelques, c'est pour qu'on n'ait pas à se relever. On s'est ensuite fait un peu de place parmi les chats sur le grand divan rouge et brun. J'ai roté ma première gorgée. J'ignore si c'est l'ambiance, le divan ou les chats.

J'avais un peu le cafard, quelque part.

— Où sont tous les fêtards ? je demandai à Pico.

— Bah, il a émis. Ils vont sûrement arriver après minuit.

Sur ce, Zaza est apparue au salon en sous-vêtements érotico-bandants. Elle a pris une pose cochonne, s'est caressé le corps des cuisses jusqu'aux seins en se mordant les lèvres puis a tout simplement demandé :

— Qui aimerait être le premier à se me faire ?

Elle ne parle pas franc, mais lorsqu'elle hurle de plaisir elle est très naturelle.

J'ai eu un léger fou rire. Pico est devenu rouge. Comme le divan. Il a regardé sa bière comme si elle avait pu lui donner le coup de pied au cul qu'il lui fallait. Pico étant puceau, je me suis chargé de le conseiller :

— Vas-y Pico ! Quand on est le premier, on court moins de risques de se ramasser quelque chose !

Pico n'a pas répondu. Zaza a deviné que je ne la baiserais pas. Elle s'est approchée de Pico, lui a présenté sa main. Il s'est levé. Il avait l'air hypnotisé. Sa première baise! Son subconscient guidait ses pas. D'accord, ce n'était pas très romantique, mais vous avouerez que la toute première fois, ce n'est pas de romantisme dont vous avez besoin.

Ils m'ont quitté pour le pucier de Zaza. Moi, lorsqu'elle s'était approchée de nous, j'avais remarqué que, malgré son bain, elle sentait toujours le chat. À moins que ce n'ait été mon nez qui défaillit. Néanmoins, j'ai la santé fragile. Je ne suis tout de même pas pour commencer à courir après les maladies! Sans compter qu'il m'arrive souvent d'avoir peur de mourir. C'est vrai! Je me trouve en pleine santé et hop! un soir en me couchant, je me convaincs que «ça y est! c'est ce soir que je meurs!» Ce n'est pas marrant à vivre mais on s'y habitue. Les poissons se sont bien habitués à nos rivières! Moi, dans ces moments-là, j'allume la télévision. Comme ça, je n'ai plus l'impression de crever seul. BBM ne fait aucune discrimination: les angoissés font leur part pour les cotes d'écoute. Nous sommes des milliers de débiles à regarder la télé la nuit. De toute façon, qui d'autre qu'un fêlé regarde le petit écran la nuit? Le monde normal dort après une rude journée. L'angoissé regarde un film bourré de messages publicitaires. Le jour, il dort. Les commerçants payent une fortune pour des pubs qui frustrent les angoissés. Les insomniaco-débiles ne magasinent pas le jour. Et quand les commerces ferment leurs portes, les angoissés se lèvent. Qu'on retire donc les pubs à la télé la nuit! Il faudra que je fasse circuler une pétition parmi tous les angoissés du pays.

J'ai quitté ces sombres idées et le divan dégueu pour changer la musique. J'adore Louis Armstrong, mais pas trop longtemps. « Dodo, Louis! T'as fait ton temps! »

Je me suis accroupi devant la pile de disques. Que de merde! Glass Tiger, The Box, Bryan Adams, Debbie Gibson, la famille Jackson et j'en passe des innommables! Heureusement, entre deux Rolling Stone se trouvait le dernier Springsteen. Une valeur sûre.

Je venais d'entendre le poc! si prometteur de l'aiguille tombant sur le vinyle lorsque la sonnette retentit. BRRRPPP! m'a-t-il semblé ouïr. J'ai ouvert.

Enfer! Damnation! Varech! Christ!

Sur la planète Terre, il n'y a que quatre personnes que je déteste à mort : mon député fédéral – mais je ne le détesterai plus dès qu'il aura perdu ses prochaines élections –, le type qui encula une chèvre pour être le tout premier mec atteint du sida et Prout-Prout. Pour ce dernier, c'est tout récent, encore chaud. Vous avez deviné que le quatrième type est celui-là même qui venait tout juste de sonner. À l'instant. Quel con!

J'ai eu le malheur de l'avoir dans mes classes au secondaire. Il n'arrivait pas à saisir quoi que soit, même pas qu'il était con. Mais! Mais il était le fils de son père, lui! Et quel père! Moi aussi j'étais le fils de mon père, mais entre mon paternel et moi, il n'y avait que l'amour qui nous unissait. Le con, lui, était uni à son père par les liens sacrés du fric! Si chez nous on disait: « L'argent ne fait pas le bonheur », chez lui, ça disait: « Quoi? On manque de bonheur? Embarquez dans l'char, papa va en acheter au centre commercial! » Son père, dans la vie, il faisait des napperons. En soi, c'est plutôt con comme métier. Cependant, en plus de faire des napperons, il possédait les usines pour les imprimer, les forêts pour le papier, les graines pour les arbres et les cueilleurs de graines pour les graines. Et la chaîne repartait du propriétaire. Comme dans la chanson.

À seize ans, alors que nous traversions la même crise, celle de la dolescence, ce con se faisait donner une voiture pour Pâques. Je crois qu'il n'est même pas baptisé. Nous traversions pourtant la terrible crise avec les mêmes difficultés: boutons, frustrations, masturbations, etc. Sauf que lui avait un père qui offrait des bolides rouges lorsque c'est Pâques. Je ne suis pas le genre de gars qui tripe sur les filles qui tripent sur les voitures, mais je suis le genre de gars qui tripe sur tout ce qui empêche de marcher. Lui, il ne faisait pas de marche à pied, ne se tapait pas de pénibles voyages en autobus scolaire et les filles jolies en étaient folles. Certes, ce genre de filles ne vaut pas une branlette, mais je haïssais ce type quand même. C'est à cet âge que j'ai commencé à boire.

Je l'ai toujours sincèrement détesté. Je ne m'en excuse pas. De son côté, il m'a toujours sincèrement apprécié. Je suis hypocrite, sauf qu'il me prête souvent de l'argent. Ça m'excuse. Je crois qu'il bande à l'idée que je lui doive du pognon. Il est assuré de ma gentillesse aussi longtemps que j'aurai une dette envers lui. Aussi, je me fais un devoir de lui emprunter au moins dix dollars par mois pour qu'il ne m'oublie pas. Ce genre de con, il vaut mieux être bon avec lui. Sinon, on se retrouve un jour sans fric et sans personne pour nous en avancer.

Son unique qualité, c'est qu'il sent bon. Je trouve ridicule de payer des fortunes pour du parfum : ça disparaît. Je me contente d'utiliser de l'antisudorifique en vaporisateur. En vaporisateur afin de faire ma part pour éliminer cette damnée couche d'ozone et que ce soit enfin l'été à l'année dans mon pays qui est l'hiver. Je ne sentais pas mauvais, mais lui sentait bon. Bon. Finalement, le con n'a pas obtenu son diplôme d'études secondaires. Alors, son père lui a acheté une succursale de restaurant à roteux. Pour l'initier. Le nom du con, c'est Marc.

– Salut Frank! il a hurlé en entrant. Je déteste surtout être appelé Frank.

– Salut Marc. Ça va? j'ai demandé pour faire bien.

– *Number one*!

Personne n'est plus banal, plus prévisible que lui. Là, je suis sûr et certain qu'il va me demander si ça file ou si je préfère une autre question.

– Pis toi? il commence en prenant son souffle, ça file ou tu préfères une autre question?

– Ça va, j'ai répondu sèchement.

Il a enlevé son manteau chic qu'il a ensuite mis sur un cintre chic. Personne ne met son manteau sur un cintre sauf ses parents et lui. Là, il va se mettre à chanter...

– Y a-tu d'la bière icitte? Y a-tu d'la bière icitte? Si y a pas d'bière icitte, m'en va'n'acheter tu-suite!

Il est réglé comme une horloge. Une horloge chic. Là, il va se frotter les mains, j'en suis sûr.

– Zaza est pas là? il a interrogé en se frottant les mains.

– Elle est occupée à baiser Pico. Ça s'ra pas long.

Il s'est rendu à la cuisine chercher une bière. Quand il est revenu, j'étais debout devant un bibelot, des billes qui s'entrechoquent jusqu'à ce que quelqu'un se tanne du toc! toc! infernal que cela produit. Marc s'est approché de moi. Il se tenait droit. J'exècre tous ceux qui se tiennent droit.

– Tu travailles toujours pour *C'est plate mais c'est vrai!*?

– Ouaille, mais là, j'suis en vacances.

– C'est-tu toi qui a écrit le sketch, que dis-je, le fameux sketch de la tarte à la crème? T'sais, quand Prout-Prout est déguisé en tarte à la crème pis qu'il se garroche sur les murs?

– Non.

– Quels sketches t'as écrit jusqu'ici d'abord?

– J'en ai écrit une tonne mais y corres-pondaient pas à l'humour de l'émission, j'ai répondu en écoutant le toc! toc! des billes.

– Pourquoi ils t'ont engagé d'abord? il a roté.

Il me demandait ça avec un air de cul et, lui, ça ne le gênait pas.

– Parce qu'ils trouvent ça drôle ce que j'écris. Ils disent seulement qu'il faut que je m'adapte au style de l'émission. C'est tout!

Sur ce, il conclut que, «finalement, ça serait mieux que j'adapte mon style d'humour à celui de l'émission.» Ses derniers mots furent: «Cré Bruyand!» avec cet air ultra-cul dont il faisait un usage abusif. J'aurais aimé lui répondre, le boucher ou tout simplement l'envoyer chier sans façon. Mais je fus faible. Encore. Parfois, je manque tellement de caractère et de détermination que je dois tirer la chasse d'eau trois ou quatre fois avant de tout faire avaler à la toilette.

Il a bu une gorgée de bière. J'ai écouté attentivement les billes. Il bouillait. Il voulait que je lui demande : « Et ton restaurant ? Ça rote ? » Mais je me tus. Il tapait maintenant du pied. Les billes toctoquaient. Soudain :

– Hmmm ! émit-il surpris lui-même avec une gorgée en bouche. Veux-tu écrire quelque chose de comique ?

Là-dessus, il posa la main sur les billes. Je devais l'écouter.

– M'as t'en conter une maudite bonne ! Il poursuivit. Tu vas pouvoir faire un christ de sketch avec ça !

Je lui ai fait face pour l'écouter poliment. J'ai plié un genou et me suis accoté sur ma hanche. J'étais persuadé qu'il s'agissait d'une anecdote qui lui était arrivée. Il a continué :

– C'est quelque chose qui m'est arrivé la semaine passée...

Ça se passerait sûrement chez le docteur ou au dépanneur.

– J'arrive su'l'docteur. Je m'assis pour attendre. Je me prends une revue pour attendre moins longtemps...

11

Je n'accorde même pas deux lignes de plus à l'histoire de Marc. De toute façon, vous la connaissiez sûrement. Pico, revenant en haletant et en souriant de la chambre de Zaza, m'a épargné le « punch » du sketch de Marc. Ouf!

Selon Zaza, avec qui je me suis entretenu jusqu'à mon départ, la meilleure façon de se suicider, c'est la strychnine. La corde? Il faut une volonté terrible. Le révolver? Ce n'est pas tout le monde qui en possède. Les aspirines? C'est tout juste suffisant pour rendre malade. Le poison à rats? C'est pour les rats. La noyade? Ça doit être dégueu à vivre. Devant un train? Il faut une patience terrible et on a le temps de changer d'idée vingt fois. Se trancher les veines? Ce n'est pas propre. Surdose d'héroïne? Il faut des capitaux. L'asphyxie? C'est dur à épeler. Le sida? Trop long. « Non! dit-elle convaincue et convaincante. Le mieux, c'est la brave strychnine! » Avait-elle des preuves? « Oui! Mon oncle, c'est comme ça qu'il a lâché ma tante! » D'accord! Vendu. On y va pour la strychnine, disponible en pharmacie.

Ensuite, la conversation a viré au cul. Pico avait établi un record au premier jet mais avait frôlé la moyenne au deuxième. Un véritable puceau bourré d'avenir. Lorsque plein de gens que je ne connaissais pas sont arrivés, j'ai quitté sans demander mon reste. Au fait, me restait-il quelque chose ?

J'ai marché jusqu'à la pharmacie. Il faisait beau mais c'était froid et sombre. Bref, on était la nuit. Une nuit comme octobre en compte trente et une. Mes *running shoes* couiquaient sur le béton froid du trottoir. Je sentais un courant d'air qui me donnait des frissons et hérissait les poils de mon corps. Je me vérifiai et constatai avec effroi, honte et gêne, que ma fermeture éclair était ouverte. Je la refermai d'un geste prompt mais discret, puis songeai à cette triste dernière soirée passée à exhiber mes bobettes bleues. Malaise. Je récapitulai chaque minute afin d'être bien certain que personne n'ait aperçu mes dessous bleus. Je me rassurai en pensant que Pico, mon ami, m'aurait prévenu si cela avait été si apparent. Quoique, aurais-je prévenu cet ami si quelque chose lui avait pendu au bout du nez ? Pico était-il réellement mon ami ? Avais-je tâté le pouls de sa tante en offrant à la vue de cette dame morte mes caleçons bleus ?

Je me réconfortai en songeant que j'avais hésité entre les bleus et les rouges et j'ai décidé de ne plus y penser. Je devais me concentrer sur ma fin. À trois coins de rue de là scintillait une enseigne pharmaceutique. J'accélérai le pas. J'avais hâte d'en finir, hâte de ne plus avoir à m'en faire, hâte à passer à autre chose. C'était de la sale besogne, mais il fallait passer par là pour parvenir au bonheur infini, un peu comme il faut peinturer la garde-robe avant d'y aller à grands coups de rouleau pour les murs. Le suicide, c'est une garde-robe.

En entrant dans la pharmacie, une clochette clocha pour annoncer mon arrivée et réveiller l'employé. L'odeur qui planait n'était qu'un vulgaire mélange de médicaments, de chips *ripples* et de Tampax de démonstration. Je me faufilai dans l'allée des condoms et du ginseng et gagnai l'arrière de la pharmacie. D'un geste vif mais discret, je vérifiai ma braguette. Le pharmacien était là-haut, derrière son comptoir qui m'arrivait au menton. Comme à la cantine à crème glacée quinze ans plus tôt. Derrière ce mur, s'il le voulait, le type pouvait se balader toute la nuit avec la braguette ouverte. Il était tout jeune. Disons vingt-cinq, vingt-six ans. Les jeunes pharmaciens travaillent de nuit. Il avait des boutons au visage. Des boutons ? Que dis-je, des plaies ! Pourquoi ne se prescrivait-il pas un onguent ? Il portait des lunettes en corne brune. Des montures de pharmacien. Il était grotesque mais pharma-cien. Un pharmacien grotesque, quoi. Ce serait facile.

– Bonsoir, j'ai commencé.

– Hmmm, il a répondu en retirant ses lunettes pour mieux me voir.

Sous sa monture, sur son nez, il portait un sparadrap. Au moins, il s'était prescrit un sparadrap.

J'étais certain que le pharmacien, malgré son acné prononcée, ne me prescrirait aucune substance me permettant de m'enlever la vie. Il était jeune, nouveau dans la profession, il n'allait tout de même pas gâcher sa carrière pour satisfaire un client! En plus, le serment d'Hypocrite l'empêchait de me tuer. Me ruiner, me vider les poches pour qu'il roule en Mercédès, oui. Me tuer, non. J'ai usé de ruses...

– J'ai un chien, avançai-je.

– Hum, hum.

– C'est un gros chien, j'ai dit en mimant quelque chose d'énorme avec mes mains.

– Un gros pitou? il a fait, pour être certain que l'on se comprenait.

– C'est ça! Un gros wouf-wouf.

– Un gros chien-chien!

– C'est ça. Vous avez tout compris.

Il m'agaçait un peu. Il a mis un coude sur son comptoir. De sa main libre, il tripotait son sparadrap.

– C'est un gros chien qui fait de gros dégâts, j'ai continué. S'il était plus p'tit, il ferait de plus petits dégâts, mais là, on parle d'un gros, gros chien!

– Oui, j'avais compris, a dit le pharmacien. J'ai déjà eu un chien-chien quand j'étais p'tit. C'était un gros chien brun !

– Le mien est noir ! j'ai précisé. En plus, moi, je suis grand et mon chien est gros. Toi, ton chien, il était gros lorsque tu étais p'tit. Alors, forcément, le mien est plus gros que le tien l'était.

– Noir comment ?

– Noir, heu, foncé !

– C'est quelle marque de chien ?

– Pit Bull 86 ! Les mags sont chromés !

Là, je déconnais, mais il ne s'est aperçu de rien. Il tripotait toujours son sparadrap et l'inspectait en faisant les yeux croches pour voir son nez.

– Y a l'air fini ! j'ai confié au type.

– Quoi ?

– Votre sparadrap ! Il colle plus !

Il m'a regardé droit dans les yeux, vérifiant ma franchise puis il a observé son nez. Il a commencé à arracher le sparadrap. Arrivé au milieu, là où ça collait toujours, une gale s'est arrachée et est restée collée au revers du sparadrap. J'ai regardé ailleurs pendant qu'il tripotait du bout de son index la gale fugueuse.

– Ça saigne-tu ? il a demandé.

J'ai quitté des yeux le rayon des produits pour la toux, j'ai jeté un bref coup d'œil à son nez et je lui ai répondu non de la tête. Ça ne saignait plus.

– C'est guéri ! il a dit.

– Oui. Bon. J'ai un chien. Un gros. Il fait de gros dégâts. Encore ce soir, il a avalé deux coussins et un cendrier.

– Tabarnance, y est vorace ! il a coupé.

– C'est un gros chien ! j'ai répété en insistant sur le mot gros.

– Comment y s'appelle ?

– Benji ! j'ai annoncé.

Le pharmacien s'est mis à rigoler :

– Ha, ha ! Benji ! C'était un petit chien ! Pas un gros !

Il méprisait le nom que je venais de trouver pour mon chien imaginaire. Ça ne se passerait pas comme ça.

– Quand on lui a trouvé un nom, c'était encore un p'tit chien !

Le pharmacien a cessé de rire, mais pas d'user de son air méprisant :

– Pis qu'est-ce que tu viens faire dans une pharmacie ? J'suis pas un vétérinaire !

– Voilà qu'on y arrive enfin ! j'ai soupiré. Ce que je veux, c'est quelque chose pour tuer mon chien sans qu'il souffre !

– Sans douleur ?

– C'est ça ! Sans bobo.

– Ben, il a fait, va le faire piquer !

– Il a peur des piqûres ! Pis, de toute façon, j'veux qu'il meure à la maison, en s'endormant près de ceux qu'il aime ! Et près de ceux qui l'aiment.

– Si vous l'aimez tant que ça, pourquoi vous pensez à l'tuer ?

J'ai détourné la conversation :

– Ça saigne maintenant !

– Tabarnance ! il a gémi en se regardant le nez.

Il était con mais je l'aurais. Il s'agissait de garder son calme. Tout simplement.

– J'avais pensé à lui faire avaler une bouteille de Valium dans son Docteur Ballard ! Après ça, il irait se coucher sur son tapis ovale, devant le foyer, puis mourrait sans douleur !

J'évitai d'aller tout droit à la strychnine. Pour ne pas effrayer le jeunot.

– Non, c'est pas la meilleure idée. Il peut être pris de nausées et tout dégueuler sur son tapis rond !

– Ovale ! j'ai rectifié. Y a des chances pour qu'il dégobille ?

Je m'informais. Culture personnelle.

– Ben oui ! a dit le pharmacien comme si tout le monde devait savoir qu'un chien dégueule des Valium. En plus, il a continué : « Y a des chances pour qu'il vomisse tout sans même avoir fermé l'œil ».

– Qu'est-ce que tu me conseilles ?

– Un bon coup de massue sur la tête. Y souffrira pas longtemps, je pourrais gager là-dessus !

Je m'imaginai en train de me foutre un coup de massue sur la tête et j'ai convenu qu'il ne s'agissait pas de la bonne solution !

– Je serais incapable de faire ça, c'est trop chien!

– Ouuuuuuffffff! a longuement soupiré le con.

Il n'avait pas l'air croche. Con, mais pas croche du tout. Je sentais la soupe devenir chaude. Jamais il ne me vendrait un n'importe quoi sans prescription de médecin, si ce n'est un rouleau de sparadrap. Je suis repassé à l'attaque:

– C'est un pauvre chien! Si mon père le voit vivant demain matin, il va sûrement le tuer!

– La v'là ta solution! Laisse-le vivant jusqu'à demain matin, pis ton problème est réglé!

– Tel que je connais mon père, il va l'attacher, puis reculer, avancer, reculer, avancer en voiture dessus! C'est pas une fin, ça! Même pour un chien!

– Un chien sur deux finit comme ça, en plein boulevard!

– La société protectrice des animaux serait pas contente d'apprendre que votre pharmacie a empêché mon chien de connaître une mort digne d'un Pitt Bull 86!

Il a réfléchi. Ça ne lui faisait pas plaisir... de réfléchir. Après un long moment à inspecter ses lunettes, il se les est posées sur le nez:

– J'ai peut-être quelque chose.

Il s'est éloigné et a commencé à fouiller les étagères remplies de poison situées derrière lui.

Il en est revenu avec un bocal de verre. Il l'a ouvert et a versé un peu du contenu dans un petit récipient en plastique. Un pot à pilules.

— Qu'est-ce que c'est?

— De la strychnine, il a répondu en refermant les deux contenants avec beaucoup de précautions, comme si ça allait sauter.

— Beuh! j'ai presque crié.

Le type a sursauté. J'ai souri pour avoir l'air ultrasympathique et ultradécontracté.

— C'est quoi de la strychnine? j'ai interrogé, comme un enfant d'école.

— C'est un alcaloïde très toxique!

Il prenait son rôle de maître au sérieux.

— J'ai jamais vu cet alcaloïde-là dans mes mots croisés! j'ai fait innocemment.

— C'est parce qu'il est très toxique!

— Ça tue? j'ai osé naïvement.

— C'est ça. C'est du poison.

Le pharmacien murmurait. Comme le docteur Frankeinstein lorsqu'il était sur le point de redonner vie à une créature morte.

— Parfait. C'est en plein c'qu'il me faut!

— Tu peux en mélanger à sa nourriture ou le diluer dans son eau, il a expliqué, mais le mieux, c'est dans la bouffe parce que ça risque pas d'altérer le goût. Dans l'eau, ton chien s'en rendrait compte assez vite!

— Je lui en donne combien?

— Essaie de tout lui donner. De c'façon-là, t'es assuré qu'il fera le mort!

– C'est rapide?

– Assez. Il se peut qu'il ait des spasmes, mais je te jure qu'après une minute, il ira pus chercher la balle!

– C'est douloureux?

– Je l'sais pas. Tous ceux qui en ont pris ne sont pas revenus pour nous l'dire!

– Es-tu sûr que ça va marcher? Que ça va le tuer?

– Sûr! Connais-tu l'histoire de monsieur Guilbeault?

– Non, j'ai menti. Il a tué son chien avec d'la strychnine?

– Non. Il en a avalé! Pour quitter sa femme! S'il avait seulement divorcé, il aurait dû céder bien des choses et de l'argent à sa femme. Le bougre, il était têtu en tabarnance: il a choisi de se suicider et de tout léguer par testament à ses enfants, plutôt que d'avoir à donner la moindre cenne, la moindre pension à sa femme.

– Il l'aimait pas, sa femme?

– J'comprends! En plus, avant de crever, il a envoyé une lettre ouverte au *Journal de Saint-Hyacinthe* où il expliquait son geste de A à Z. Le *Journal* l'a publiée au complet! Pour vendre des journaux, y en a qui feraient n'importe quoi! Toi, t'as pas l'intention de t'suicider toujours?

– Non. De toute façon, après avoir réussi à tuer mon chien, il en restera même pas assez pour tuer une mouche!

– C'est tout un chien que t'as! Il doit au moins peser cent livres!

– Je l'sais pas. Tout ce que je sais, c'est que mon père va s'en ennuyer cet hiver : c'est lui qui pelletait la cour.

– Tabarnance!

J'aurais pu dire n'importe quoi : il savait que mon chien était énorme.

– Bon, eh bien merci! C'est combien?

– C'est même pas à vendre!

Il m'a encore regardé droit dans les yeux. Cette fois-ci, il avait le contenant tant convoité bien en main. Je l'ai observé un moment. Il ne lâchait pas le petit pot.

J'ai sorti vingt dollars de ma poche.

Il n'a pas lâché la strychnine.

J'ai ajouté dix dollars.

– T'avais pas de prescription! il s'est rappelé.

J'ai pigé un autre dix dollars. Il hésitait. Sa tête balançait d'un côté à l'autre. J'ai ajouté le dernier dix dollars qu'il me restait de la vente de mon album Statesman Deluxe Album. Il a souri en empoignant les billets :

– N'en parle surtout à personne!

– Juré, craché!

Après m'en être servi, je serai aussi muet qu'une carpe à cochon ou même un espadon.

– Après t'en être servi, lave-toi bien les mains! Tu risques pas d'mourir si t'en as un peu sur les doigts mais tu pourrais être malade.

Merci du conseil! Je me licherai les doigts!

– Parfait! Pigé! Merci encore! Et merci au nom de mon chien qui n'aura pas à souffrir le martyre!

– Je l'ai fait parce que j'aime les chiens! Les chiens, y sont les meilleurs amis de l'homme! il a philosophé.

Pharmacien grotesque et philosophe. Mais croche! Il avait de l'avenir!

« Wik-a-wouigne, yign e !
Fou-k-kwick-a-wak ! »
– Solo mélancolique d'Eric Clapton

J'avais tout. J'étais prêt.

Dans un verre de Kool-Aid au raisin, j'ai versé la poudre blanche toxique. J'ai failli réveiller mes parents en écrasant les pilules. J'ai brassé un coup, deux coups, beaucoup. Toute la poudre restait au fond de mon verre. Zut.

J'ai tout versé le Kool-Aid dans l'évier en prenant soin de ne pas jeter la strychnine. J'ai ouvert le réfrigérateur et j'y ai pris un Jos Louis. J'ai arraché la partie supérieure et j'ai garni la crème d'un supplément particulier et bien moins savoureux. La strychnine et la garniture se mélangeaient mal et formaient des mottons. J'ai remis le gâteau supérieur sur le tout et mon Jos Louis avait l'air fou. Ça ne fermait plus ! Je ne m'en préoccupai pas trop longtemps.

Il ne fallait pas faire de bruit. Mes parents roupillaient au sous-sol après une journée bien remplie. Dans la salle de bains, les bruits s'amplifient jusqu'au sous-sol par la céramique. Je me suis étendu dans la baignoire. Avec cérémonie, je me suis glissé les écouteurs de mon baladeur sur les oreilles. J'ai ensuite mis ma lettre de suicidé sur le rebord du bain.

J'ai mordu dans le gâteau. Ça goûtait le cul, mais je me suis encouragé en songeant qu'on a rien sans rien. En trois bouchées, le gâteau était avalé. Tout compte fait, j'en aurais bien repris un deuxième. Après tout, je n'avais pas soupé.

J'ai fermé les yeux. Pour ne pas pleurer, j'avais choisi la cassette du dernier album de Rock et Belles Oreilles. Celui où ils chantent. Je ne riais pas du tout.

Tout s'est bien passé jusqu'à ce que je pense à Lili, à la famille, à tout ce que je quittais. Cependant, il était trop tard pour faire marche arrière. Le processus était enclenché. Chevy Chase n'arriverait pas en rigolant pour me sauver la vie.

J'ai dû pleurer un peu. Puis, séchant mes larmes, j'ai misé sur le fait que tout allait être bel et bien fini. Fini pour la vie ! Les luttes quotidiennes, les malheurs, les efforts pour gagner du fric, les peines plus éprouvantes que les joies et c'est ça qui n'est pas juste, les refus, les échecs, les romans, les sketches débiles, les ambitions irréalisables, les autos qui ne démarrent pas l'hiver, les toasts qui brûlent le matin, les mensonges à ceux qu'on aime, les mensonges de ceux qu'on aimait, les nuits passées sans dormir, les soirées passées à se demander si on allait dormir, les journées à se demander si on allait passer la soirée à se demander si on allait dormir, les files à la banque qui n'ont jamais de fin, les intermèdes à la télévision, les messages publicitaires au milieu d'un bon film, les pots de confiture qui ne s'ouvrent pas, les jours où l'on se rend à la quincaillerie pour se rendre compte qu'ils n'ont pas ce que l'on cherche, les métros qui n'arrivent pas, les déboires, l'anxiété, les frustrations, les...

> *« Se suicider,*
> *c'est quand même mourir un peu,*
> *quelque part... »*
> – Phil Osöf

I

Je me suis raté.

À moins que je ne sois qu'un con d'humain éternel ?

J'ai repris conscience, et du même coup, conscience de mon échec lorsque j'ai ouvert les yeux et que j'ai fait face à un plafond blanc cigarette. Partout, c'était blanc cigarette. Pourtant, ça ne sentait pas le tabac. Le ciel ne devait pas ressembler à ça. Puis j'ai entendu une voix mal payée me demander :

– Vous êtes conscient ?

J'ai répondu que non. Et j'ai refermé les yeux. La voix s'est éloignée en même temps que ses souliers et je l'ai entendue qui disait à quelqu'un que j'avais dit « non » et que j'avais ouvert les yeux.

J'avais mal. Mal partout. Des doigts m'ont soulevé les paupières. J'ai pointé mes iris en direction du type qui me tripotait.

– Ça va ? il a demandé.

J'ai bien failli lui répondre que lorsqu'on est à l'hôpital, habituellement, c'est parce que ça ne va pas du tout. Je ne l'ai pas fait. Je n'en avais pas la force et, de plus, je me suis rappelé que, souvent, les docteurs ont affaire à des gens en pleine forme dans les hôpitaux.

Je n'ai pas répondu. Ou plutôt, je l'ai rassuré d'un soupir. Il a souri puis il est parti en me laissant seul avec ma conscience. Dans quelle merde j'étais ! J'aurais souhaité remourir ! Que diront ma mère, mon père, Lili, les autres ? Je me suis regardé, les coudes remplis d'aiguilles et de tubes de toutes les couleurs. J'ai à nouveau perdu connaissance.

II

– P'tit con !

C'était ma mère. J'ai senti beaucoup d'amour dans ce « p'tit con ». Il n'y avait qu'elle pour dire « p'tit con » avec autant d'amour.

Trois jours ! Trois jours sans conscience à cause de ma phobie des aiguilles ! Au moins, tous savaient que j'avais repris connaissance, que j'étais vivant. Mais le toubib ne s'expliquait pas ma reperte de connaissace.

Ces trois jours additionnés aux deux qui suivirent ma tentative de suicide, ça faisait cinq jours que j'étais cloué au lit à l'hôpital Honoré-Merdier.

Ma mère, je l'ai appris plus tard, a passé beaucoup de temps à mon chevet. Elle était partie chercher du linge chez le nettoyeur lorsque j'ai momentanément repris du poil de la bête pour faire face au docteur, à sa lampe de poche et à tous ces tuyaux accrochés à ma peau. Aujourd'hui, ce jour-là, elle ne voulait pas manquer son coup : elle était là depuis la matinée. Treize heures sonnaient. Elle s'était sentie obligée de bouffer les repas qu'on venait me porter. La jeune infirmière ignorait que je bouffais par les veines. Les premières paroles que j'entendis furent « P'tit con ! » Ça me rassurait un peu.

Elle n'avait pas digéré les poissons qu'elle avait avalés pour sa santé. Elle est venue aux toilettes et m'a trouvé dans le bain. Surprise comme le serait n'importe quelle mère qui trouverait son fils dans la baignoire, tout habillé, en pleine nuit, elle a tenté de me réveiller. Elle a tout compris en lisant la lettre. Elle me l'a remise depuis. Les fautes d'orthographe étaient encerclées en rouge. Au-dessus de certaines, elle a indiqué qu'il s'agissait de fautes d'inattention : celles-là sont impardonnables !

Ses deuxièmes paroles étaient plus inattendues :

— Veux-tu qu'on en parle ?

Je n'ai pas répondu. J'ai plutôt pleuré un peu. Quelque part, j'avais très mal. Je lui ai fait dos. J'ai dû faire face à la fenêtre, à l'Extérieur. Le soleil était là-haut, à droite. Si je m'étais retourné, le soleil aurait été derrière moi. J'étais le centre de l'univers. Du moins, le centre de mon univers. Mon égoïsme m'a sauté au visage et m'a griffé jusqu'au sang. Et le soleil brûlait mes plaies. Mais je ne me suis pas retourné. Sinon, j'aurais eu à faire face à ma mère. Elle monologuait :

— Tout le monde est ben content que tu te sois manqué... T'as énervé ton père mais là, il va mieux... Les ambulanciers t'ont vidé dans la salle de bains... J'en ai eu pour deux jours à essayer de faire disparaître l'odeur... Les ambulanciers en revenaient pas que t'aies essayé de te suicider en mangeant un Jos Louis... Tu l'avais mangé par grosses bouchées! J'en suis sûre! Tu dois l'avoir avalé en deux, trois bouchées!... À l'hôpital, ils ont trouvé d'la strychnine dans ton sang, y se demandent où t'as pris ça... Connais-tu l'histoire de monsieur Guilbeault?

– Non, ma tête a répondu.

Elle s'est levée pour me faire face. Elle avait bonne mine. L'air de l'hôpital lui faisait un bien énorme.

– T'as vu toutes les fleurs que t'as reçues? Tout l'monde a envoyé juste des roses blanches... Les seules que tu endures!

– Qui ça tout l'monde? j'ai demandé d'une voix faiblotte.

– Tes copains, la famille... Même ton *boss* pis Prout-Prout!

– J'espère que tu n'as pas été dire à tout l'monde que j'avais essayé de me tuer?

– Penses-tu! Non, non. Je leur ai dit que t'as fait un empoisonnement alimentaire. Que t'as mangé un Jos Louis qui contenait de la strychnine!

– Ils t'ont cru?

– Ben oui! T'en fais pas! Ça arrive souvent que des fous mettent des produits poison dans le manger ! En Angleterre, ça arrive trois fois par semaine !

Èlle se promenait dans la chambre, tâtait les fleurs, se mettait le nez dedans à qui mieux mieux, comme une poule qui picosse. J'ai remué un peu, pas trop : je me sentais faible. J'aurais été incapable de bander. Sans me regarder, ma mère s'est éclairci la voix, mal à l'aise, elle voulait parler.

– Qu'est-ce qu'y a m'man ?

– Ton frère pis ta sœur le savent eux autres ! elle a murmuré.

– Ah oui ?

– Tu comprends que le lendemain, j'ai réuni le conseil de famille !

– Comme les Italiens ! j'ai laissé tomber.

– Ton frère pis ta sœur, c'est ton frère pis ta sœur ! Aie un peu de respect pour ta famille ! Nous autres, on a pas arrêté de t'respecter même si t'as essayé de te suicider !

Je l'avais offensée.

– Comment tu leur as dit ?

– Bing ! Bang ! Comme ça : votre frère a essayé de se tuer hier au soir !

– Comment ils ont réagi ?

– Ton frère a été surpris. Ta sœur, je l'sais pas : elle suivait la réunion par téléphone. Elle était encore à Montréal.

– Tu ne leur as pas lu la lettre, toujours ?

– Ton frère pis ta sœur, c'est ton frère pis ta sœur !

Mamma mia.

– Ta sœur a trouvé bien drôle que t'aies pensé à mononcle Étienne pour dire la messe ! Sans souhaiter ta mort, elle aurait aimé voir Étienne bégayer en arrière de l'autel... Tu connais ta sœur : aucun respect pour les valeurs familiales ! Pis ton frère, y est pas mieux : y te trouvait cheap de céder juste de la paperasse à son fils. Ti-Bi, lui, y trouvait ça drôle !

– Ah ! Parce que Ti-Bi était aussi à la réunion du conseil familial ?

– Ton filleul, c'est ton filleul ! ... Pis ton frère avait pas trouvé de gardienne pour lui et Kiki.

– Kiki aussi ?

– C'est ta nièce !

Toute la famille le savait. J'aurais dû m'y attendre. Cependant, dans mes plans de mort, je n'avais pas à faire face à ce genre de chose. Et Lili ?

– Et Lili ?

– J'ai chargé ton frère de lui annoncer ton « empoisonnement ». Mais il a réussi à la rejoindre seulement hier soir. Ton frère a été ben occupé à déménager son beau-frère. Déménager au mois d'octobre ! Tu parles d'un quétaine !

– Qu'est-ce qu'elle a dit ?

– Je l'sais pas. Tu demanderas à ton frère. Il est censé venir à soir.

On s'est tu un peu. Pour se regarder. Elle avait l'air fatigué. J'essayai de me convaincre qu'elle oublierait facilement et rapidement. Elle s'en remettrait, ça, c'est sûr, mais elle n'oublierait certainement jamais.

– Pourquoi t'as fait ça?

J'ai regardé ailleurs. Les secondes se sont allongées. J'espérais qu'elle oublie sa question. Qu'elle l'échappe quelque part où elle ne pourrait jamais aller la rechercher. Dans le fond d'un puits sans fond, quelque part de loin comme ça.

Constatant que je ne répondais pas, elle a posé une autre question. De la même famille que la première:

– On a-tu fait quelque chose de pas correct?

– Non, non. C'est pas vous autres. C'est moi. Juste moi.

Il fallait bien que je dise quelque chose. Ma mère aurait voulu être ailleurs.

– P'pa va bien?

– Il s'est fait bien du mouron, elle a soupiré avec douleur, comme si elle avait souffert le martyre, comme si c'est elle qui avait eu du mal à s'endormir. Il n'a pas été travailler lundi... Comme t'as repris connaissance ce jour-là, y est allé travailler mardi... Ton père t'aime, tu sais!

– Hmm. J'sais.

– Je t'ai ramassé les *Journal de Montréal*. Le monde a continué de tourner même si t'as essayé de l'abandonner.

– C'est bien c'que je craignais.

– Les BBM sont sortis lundi. *C'est plate*

mais c'est vrai ! a droppé en dessous du million de téléspectateurs ! J'ai appelé à CFRQ pour leur dire que s'ils faisaient tes sketches, leur cote d'écoute remonterait ! Pico, Andrée, ton frère pis ta sœur aussi ont appelé ! Ton père, lui, y a appelé cinq fois en changeant sa voix !

— Le téléspectateur moyen ignore complètement qui je suis et ne sait même pas qui écrit quoi ! Ils ne savent même pas qu'aucun de mes sketches a pas encore été diffusé. À CFRQ, ils sauront tout d'suite que c'est ma famille pis mes chums qui ont appelé !

— J'viens d'te dire que ton père changeait sa voix !

— C'est gentil.

— Ton réalisateur, quand je l'ai appelé pour y dire que tu serais pas à la réunion de production, y a dit qu'il avait convaincu Prout-Prout de jouer ton sketch du préfini pour le prochain enregistrement. C'est pas une bonne nouvelle ?

— Fantastique, ironisai-je.

— Bon ! elle a fait en se tapant dans les mains, j'vais faire un bout ! J'vais te laisser te reposer... Ça te dérange pas si j'te débarrasse de quelques gerbes de fleurs ? La maison est morose de c'temps-là !

— Non, non. Vas-y ! Tu peux toutes les emporter si tu veux.

— Non. Je vais apporter seulement les miennes. Tout d'un coup que les autres viennent voir si tu as reçu leurs fleurs et qu'ils ne les voient pas!... Bon! J'me sauve! À partir de maintenant, arrête de penser à des choses noires! À soir, y a plein de monde qui va venir te voir! J'veux pas que t'aies l'air d'un mort! Dorénavant, tu veux vivre!... J'vais dire à l'infirmière de t' laver! Pour que tu sois propre!

Elle est partie. J'allais pouvoir penser un moment. Sa réaction m'a encouragé. Comme d'habitude, elle a fait comme si rien n'était arrivé. C'est moins bâdrant comme ça.

Pour me redresser dans mon lit, j'ai dû utiliser toutes les forces qui me restaient. Pas très nourrissant le sérum. Une garde est entrée. Poliment, elle m'a demandé si je pouvais me lever. Je l'ignore, j'ai répondu. J'ai essayé. Les jambes ont glissé sur le bord du lit, et des bras j'ai relevé le haut du corps. Comme je tentais de me mettre debout, l'infirmière m'a soutenu. Elle sentait meilleur que mon lit. Elle m'a conduit jusqu'à un fauteuil où elle m'a assis avec douceur. « Ainsi, dit-elle, je vais pouvoir changer tes draps! » Je n'étais pas déçu d'en avoir sué!

J'ai observé l'extérieur sans penser à la moindre chose. D'ici, les autos étaient toutes petites. Miniatures! Veut, veut pas, j'ai pensé à ma Pontiac. Puis, de fil en aiguille, j'ai pensé à Lili que j'avais baisée sur la banquette arrière. Nous étions dans le stationnement du salon funéraire où l'on exposait mon grand-oncle, un type marrant qui, selon la légende grandissante, serait mort en racontant une blague. Du même coup, j'ai pensé à la mort. L'infirmière me pointait son cul en glissant les draps sous le matelas. J'ai vomi.

Je l'ai prise par surprise. Après le premier beurk! elle a pointé une bassine sous ma gueule. Trop tard : le mauvais était sorti. À peine quelques gouttes de chenoute. Je n'avais plus rien dans l'estomac. Presque rien n'était sorti mais ce n'était pas faute de ne pas avoir essayé. J'avais les muscles du ventre enflés.

– Étendez-vous! a dit l'infirmière en me prenant le bras et en me conduisant au lit.

Du fauteuil au lit, j'ai dû marcher dans les trois ploucs de bave que j'avais versés par terre.

Je m'étendis avec joie. Ça ne sentait pas la lavande, mais ça ne sentait pas la viande avariée non plus. Une fois confortablement installé, j'ai eu une petite pensée pour le bon Dieu. Il ne m'avait pas oublié, ce con! À Noël, j'irai à la messe, promis! À Pâques aussi! Peut-être.

J'étais presque assoupi. Je flottais dans la brume. Les oiseaux chantaient du Nana Mouskouri dans ma tête, ça sentait le printemps et le gâteau Pepperidge Farm et le soleil commençait à s'en retourner chez lui, dans les kolkhoz, égayer la vie de ses camarades. J'étais séduit, dans mes songes, par une plante qui sentait le Sunlight, quand une grosse voix rauque et édentée m'a ramené là où j'étais, c'est-à-dire dans une chambre d'hôpital semi-privée :

— Comme ça, t'écris des sketches pour *C'est plate mais c'est vrai!*???

J'ai gardé les yeux fermés et j'ai répondu par de brefs hmm, hmm. La voix a continué :

— C'est-tu toi qui a écrit le truc des tartes à la crème de vendredi passé ?

— Non ! j'ai répondu sèchement.

— Ah... Comme ça, t'as essayé de te suicider ?

Inutile de dire que je n'ai pas donné la moindre réponse.

— Pas facile, hein ? ... Mon beau-frère a essayé trois fois ! Au lieu d'essayer une quatrième fois, il a marié ma sœur !

Et le type a ri. Bien sûr.

— Si tu veux, tu peux t'en servir pour un sketch, ça m'dérange pas.

— Merci.

Le type, plus gros encore que sa voix d'ogre, s'est levé de son lit, s'est assis sur le mien, à ma droite, et m'a présenté la main :

— Rémi Ruyère ! Mais tout le monde m'appelle Gruyère.

Il n'avait pas l'air très frais non plus.

— François Bruyand, j'ai dit en lui serrant la main qu'il avait moite.

— Moi, chus ici pour mon cœur. Ça fait deux fois qu'il fucke le chien, mais j'm'en fais pas ! J'garde le sourire !... Parlant de sourire, c'est drôle qu'un gars qui écrit des affaires comiques essaie de se tuer, tu trouves pas ?

– L'effet comique, le « punch », réside dans le fait que je me sois raté, ironisai-je.

Ce gros-là, il était plus toxique que trois kilos de strychnine. Il a commencé à faire le tour de la chambre en sifflant « Chante la vie, chante », de René Simard. Il sentait chaque fleur, toutes des roses...

Je l'ai observé un moment puis je me suis endormi. Il m'a réveillé :

– Est fine ta mère ! Elle a l'air d'avoir ben pris ça !

– Je sais, j'ai gémi, elle est ben contente...

Le type a rejoint son lit. Il a allumé la télé. Il a essayé tout cet après-midi-là de battre un record de vitesse avec la télécommande. Je crois qu'il l'a battu.

III

Le toubib m'a réveillé pour m'annoncer avec un large sourire que je pourrais sortir dans deux jours. J'ai ensuite bouffé du bois, du ciment frais et des similifèves vertes. À gauche, Ruyère ronflait, épuisé, mais satisfait. J'avais le cafard. L'heure des visites approchait. J'aurais préféré que personne ne vienne. Ils sont tous venus! Enfin, presque tous.

Mes parents sont arrivés en premier. En pénétrant dans la chambre, mon père a baissé la tête. Il ne l'a relevé que lorsqu'il est ressorti. Ma mère pétait le feu.

– J't'ai apporté d'la lecture!

– Merci.

Elle a déposé une boîte sur le lit. À l'intérieur, il y avait des romans. J'ai vu les titres: *Il fait chaud, Trois jeunes filles en redemandent, ce n'est pas de l'onguent!, À votre service, surtout à votre vice!* Sous les bouquins, il y avait des magazines: *Hustler, Penthouse, High Society,* etc. J'ai regardé ma mère, un peu surpris.

– Ben quoi? elle a fait, ce qu'il te faut, c'est de la lecture gaie! Tu vas voir, chaque histoire finit bien...Pour les magazines, je pensais acheter *Playboy,* mais ton père a dit que dans *Hustler pis Penthouse,* les filles étaient plus cochonnes!

— C'est vrai! a assuré mon père.

— J'connais pas ça, mais je les ai trouvées assez cochonnes quand je les ai feuilletés tout à l'heure. Si ton père le dit, de toute façon!

Mon père faisait le tour de la chambre en sentant chaque fleur. Bientôt, elles seraient vides. Ma mère s'est assise sur le lit, face à Ruyère.

— As-tu fait sa connaissance?

— Brièvement.

— Qu'est-ce qu'il fait dans la vie?

— Il change les postes de la télévision.

— C'est pas une vie ça!

— Le docteur a dit que j'sortirais vendredi! j'ai coupé.

— C't'une bonne nouvelle! s'est exclamée ma mère... On a commencé à repeindre ta chambre! On aura sûrement fini vendredi!... Ton frère pis ta sœur sont censés arriver bientôt. C'est lui qui est allé la chercher à Montréal.

— Il va amener Ti-Bi et Kiki?

— Non. À maison, ils ont désormais un jeu Nintendo. J'pense qu'ils vont préférer jouer à Mario Chose plutôt que de venir ici.

— J'les blâme pas.

J'ai demandé à mon père de m'aider et j'ai été m'asseoir dans le fauteuil. Déjà, j'avais l'air moins malade. Mon père est venu bien près de me dire quelque chose.

Ma sœur est entrée en chantant « Debout les gars, réveillez-vous ! », suivie de mon frère qui ne chantait pas du tout. Elle était fraîche comme une rose. Ruyère allait sûrement tenter de la sentir.

— Salut François ! elle a hurlé.

Smack, smack, deux becs sur les joues. Elle m'a déposé un paquet sur les genoux. Mon frère a suivi :

— Salut l'frère ! T'as l'air su'l'piton !

Bing, bang, deux bonnes grosses bines d'encouragement. Ça replace les idées. Seulement les idées.

— Déballe ! a dit ma sœur.

Je me suis exécuté.

— Oh ! m'exclamai-je gêné. Des bas d'nylon ! C'est gentil... Heu, pourquoi des bas d'nylon ?

— Tu dis toujours que t'as tout ! Alors, j't'ai acheté des bas de nylon d'excellente qualité que tu pourras offrir à Lili à Noël ! Tu sais jamais quoi lui offrir pis j'sais qu'elle en a besoin !

— Bien pensé !

Pendant que je déballais mon paquet, mon frère avait déjà jeté un œil au *Penthouse*.

— C'est de la lecture pour ton frère ! a précisé ma mère.

— Hé ! Il lit même pas l'anglais !

— J'vais lui traduire ! a gueulé Ruyère qui venait de se réveiller. En tout cas, il va se rendre compte que les images sont ben plus fatigantes que les textes ! Ah, ah !

Il n'en manque aucune. La famille a émis un bref rire poli.

– On va au fumoir? j'ai proposé. Ça fait bien un siècle que j'en ai pas fumé une bonne!

J'étais malade, je faisais pitié, ils m'ont suivi. Seul Ruyère est demeuré dans la chambre. «Moi, je vais rester ici», il a précisé. Nous étions déjà sortis.

Dans le couloir, des vieux faisaient des longueurs, accrochés à un poteau, leur poche de limonade les rassasiant. Ils montraient leurs fesses bleues aux gens et ne quêtaient même pas! Ils semblaient ruminer de vieux péchés qui n'en sont même plus aujourd'hui. J'ai eu envie de leur donner une bonne tape dans le dos pour les encourager; il ne leur manquait plus que deux cents longueurs à faire avant de crever. Au lieu de cela, j'ai gardé mes mains sur mes fesses, à retenir ma jaquette. Pour passer le temps, ces vieux marchaient. Moi, pour faire passer le temps, je m'assois.

On ne voyait pas le fond du fumoir. Trop de boucane. Joie! Je me suis assis près de la fenêtre. J'ai demandé une cigarette à mon frère qui ne pouvait pas me la refuser: je venais d'attenter à mes jours. Une succulente Du Maurier légère, pour mourir en douceur. Après deux orgasmes, j'ai remarqué que la famille était encore toute debout. Plus de place où s'asseoir. Pendant mille heures, personne n'a dit le moindre mot, gênés qu'ils étaient à être debout. L'embarras me gagna. Alors, pour faire de la place et pour rigoler un peu, j'ai hurlé :

— Comment qu'il a pris ça Ti-Bi que j'aie essayé d'me suicider ?

Les fumeurs tout autour restèrent bouche bée, leur cigarette pendue à leurs lèvres supérieures. Maintenant, il n'y avait plus que ma famille de muette.

Mon frère a tout de suite compris mon manège. Il est entré dans le jeu avec la même dextérité qu'autrefois :

— Tu comprends que Ti-Bi, à son âge, ignore vraiment ce qu'est la mort. Après que je lui ai expliqué ton geste, il a dit : « Pourquoi y a manqué son coup ? J'aurais aimé bien mieux qu'il meure c'te Christ-là ! »

— Mon filleul a dit Christ ?

— Heu... a heusé mon frère, pris de court.

— Tu laisses ton fils, mon filleul, dire Christ ? questionnai-je en feignant la colère.

— Il a même ajouté que t'étais juste un enculé !

Les fumeurs étrangers commençaient à se lever et à quitter le fumoir.

— Tout de même, il serait temps que son parrain ait une conversation d'enculé à p'tit connard avec lui ! reconnaissait ma mère qui maîtrisait tout à fait la subtilité du jeu.

Il n'y aurait bientôt plus personne dans le fumoir. Ma sœur passa à l'attaque finale :

— Ti-Bi a p't'être pas encore digéré le fait que tu le sodomisais pour lui «apprendre à être poli»!

Tout ça sans rire. Les derniers sont partis et toute la famille a pu s'asseoir.

Souvent, avec Lili, on s'amusait ainsi aux dépens des gens. L'été dernier, à la suite des événements cons qui ont fait la manchette, j'avais entamé une engueulade fictive avec Lili dans le métro.

— Tu vas te faire avorter! je lui gueulais.

— Non! J'le garde! elle avertissait.

— Et tu vas sûrement l'appeler Joël, comme ton ex?

— Pourquoi pas? C'est bien plus beau que «François»! elle répliquait comme si mon nom était couvert de merde.

Pendant au moins cinq minutes, une dame âgée me regarda en soupirant de rage. Certains autres se retournaient. Cinq minutes à hurler, à chigner, à beugler comme des diables dans l'eau bénite. Parvenue à la station Préfontaine, la vieille s'est préparée à sortir. En franchissant la porte du wagon, la dame m'a balancé un coup de sacoche derrière la tête. Dans le bref instant de noirceur qui s'ensuivit, j'ai cru entendre une voix murmurer bravo. Je n'avais pas joué la comédie en public depuis cet événement.

C'est mon frère qui m'a appris ce jeu. Plus jeunes, lorsque notre père nous offrait un dollar pour aller au dépanneur acheter des cochonneries, nous étions à notre meilleur. Devant le comptoir rempli de tout ce qu'un jeune peut rêver la nuit, mon frère refusait de m'accorder le moindre sou du dollar paternel. Je me mettais alors à chialer et à grafigner tout ce qui bougeait. Habituellement, après quelques secondes, le type derrière le comptoir s'enrageait et m'offrait un dollar de cochonneries de mon choix. Mon frère passait pour un égoïste et un méchant, mais à la sortie, nous partagions la tonne de nénanes que nous avait procurée notre jeu.

Ma sœur nous racontait comment elle avait foutu un coup de pied dans les couilles d'un Grec qui la draguait quand Pico et Andrée sont entrés dans le fumoir. Pico était gêné, Andrée souriait.

— Tiens? a fait ma mère. Pico et Andrée! C'est de la belle visite!

Effectivement, Andrée portait un fort joli ensemble noir et blanc de circonstance – y est-tu mort ou non? – et Pico avait fait un détour chez le barbier. Il avait l'air franchement très propre.

— Comment t'as fait ton compte? a tout de suite attaqué Andrée. S'empoisonner avec un Jos Louis, c'est rare!

Il y eut un malaise. J'avais complètement oublié qu'ils ignoraient tout des vraies raisons de ma présence à l'hôpital. Sans hésiter, j'ai

mis les choses au clair. Qu'avais-je à perdre ?
La vie ?

– J'ai pas pris de chance ! J'avais mis de la strychnine dedans !

– T'as triché ! elle a répondu, avec tact.

Bien. Tout se déroulait bien. Pico, je crois, n'a pas saisi de quoi nous discutions. Il devait regarder ailleurs ou être déconcentré par des mousses de coton qui niaisaient au fond de ses poches de pantalon. Je suis certain qu'il ignore encore aujourd'hui que j'ai attenté à ma vie.

La famille réécoutait ma sœur reprendre son histoire grecque pour Pico. En vraie Bruyand, elle en a remis un peu. Andrée s'est tiré une chaise et y posa son cul à ma droite.

– J'ai réussi à jouir du vagin, elle m'a murmuré à l'oreille.

– Es-tu sûre ?

– Certaine ! elle m'a assuré.

Ses yeux brillaient profondément. Elle semblait rudement fière ! Radieuse comme le soleil ou quelque chose de radieux. Elle en ferait sûrement une religion.

– Je suis bien content pour toi !

– Merci !

Elle irradiait.

– C'est à cause du type ? À cause d'une certaine maturité que t'aurais acquise ? Ou les deux ?

– Je l'sais pas trop ! Mais j'pense pas que ce soit à cause du type ! Si tu l'avais vu !

– J'n'aurais pas eu d'orgasme vaginal ?

– Non. Je ne croirais pas.

– Et c'est meilleur que du clitoris ? j'ai questionné. Ce n'est pas que je sois concerné, c'est plutôt par culture personnelle !

– C'est bien différent ! Je dirais que lorsqu'on peut se permettre les deux, on se sent riche !

Eh bien... Tout le monde jasait et s'écoutait. Des ennuis mécaniques de l'auto du père, à la toux de Ti-Bi qui n'en était peut-être pas une, mais qui lui permettait de manquer quelques jours d'école. Andrée, millionnaire, écoutait ma sœur lui raconter son histoire grecque. J'en étais à ma cinquième cigarette quand Pico a véritablement ouvert la bouche :

– François, as-tu vu un grand couloir noir avec une lumière au bout ou quelque chose comme ça ?

Tous se sont tus.

Avais-je vu quelque chose ? Hmm, hmm... non. Il me semble bien que non. J'ai aperçu le plafond de la salle de bains, puis quelques jours plus tard, le plafond d'une chambre d'hôpital. Plutôt banal. Alors, pourquoi décevoir Pico ?

– Bien mieux que ça ! j'ai commencé. J'ai vu Jésus et toute sa bande. Ta matante et tout le cirque au grand complet !

– Ah oui ? s'est esclaffée ma sœur. Raconte-nous ça !

– Bon... Heu... J'arrive au ciel. Ou appelez ça comme vous voulez... Là, c'est noir de monde ! Toutes sortes de monde ! Des Blancs, des Noirs, des Jaunes, des Rouges, des pâles, des foncés, des jeunes, des vieux, des qu'on a jamais vu ici-bas... Là, je croise quelqu'un. Nécessairement, c'était plein de monde ! Alors, je lui demande, très cool : « Hé, mec ! Qu'est-ce qu'on fait maintenant ? » Le type me répond sèchement : « Fais la file, le cave ! » Je n'insiste pas. Là-haut, il y a environ un infini de files. Alors, je prends celle qui, me semblait-il, avançait le plus rapidement... Le temps passe... Une, deux, puis trois éternités... À un moment donné, qui j'aperçois dans la file d'à côté ? Ta matante !

– Pheu ! meugle Pico, incrédule.

– Je lui fais deux, trois bye-bye de la main, je recommence à me concentrer sur ma file. Celle de ta matante avançait plus vite... Après ce que je calculerais être une douzaine d'éternités, j'arrive au guichet. J'étais pas déçu d'être arrivé. Là, un bonhomme barbu est assis au comptoir, un clavier d'ordinateur sous ses doigts crasseux. Je me penche :

– Vous êtes saint Pierre, non ?

– Ben oui, il répond nonchalamment.

– C'est drôle, vous êtes pareil comme je vous dessinais dans mes cahiers de catéchèse !

– C'est ben drôle, il ironise.

Je jette un coup d'œil aux autres tables des autres files : tous des saint Pierre ! Magie ! Pete, qui avait remarqué ma surprise, y répond :

— Vous avez mangé tellement de marde en bas, ça aurait été décevant pour vous d'arriver au ciel et de pas être accueilli par saint Pierre !

— Et Madonna ? je réplique. Elle meurt quand ? Et Marilyn, elle est morte, non ?

Je crois bien l'avoir un peu insulté.

Tel le plus poli des employés de la STCUM, il me lance :

— Nom ?

— François Bruyand !

— Épelez !

— F,r,a,n,c,cédille,o,i,s,b,r,u,y,a,n,d !

— d ? ? ? il s'étonne.

— Ben oui, j'ai fait. D comme dans dans !

— Dh, dh, dh ? il fait en crachant sa grogne sur mon visage.

— Dh, dh ! Symbole du deutérium ! Occlusive dentale devant l'éternel !

Il ne rigolait pas. Il pitonna et repitonna sur son ordinateur.

— D ? il redemande.

— Oui, répond encore ma tête.

Il repitonne, donne une petite bine à son écran-télé, recule sur sa chaise à roulettes, ôte ses lunettes, se froisse la barbe, danse sur l'air de « Où se rendront les bateaux », cligne de l'œil, turlututine, capote, virevolte, swigne dans le beurre, zigonne, tétonne, braconne, juponne, porte la main droite sous sa veste, déboutonne ses bretelles, fait tchou-tchou, hurle bingo, perd l'équilibre, se détraque, appelle à l'aide, me montre son birlibi, me demande ce qu'il y a de bon à la télé ce soir, met un doigt dans son nez, souffle très fort, éclate, explose.

– D? il redemande.

– Bruyand-D. Oui.

Retrouvant son calme – il le cherchait depuis quelques secondes – il presse le bouton de l'interphone:

– Jésus? Y a un problème ici... Oui... Oui... Non... Ah! Ah! Mon Christ-toé!... OK. J'attends!

Il me regarde.

– Ça s'ra pas long. Le *boss* s'en vient!

Je piétine sur le sol, tourne en rond lorsqu'arrive une Caddy. Blanche. La foule en file s'anime. Les vitres teintées nous empêchent de bien voir qui est à l'intérieur. Les cris fusent. Certains devinent qu'il s'agit de Jésus. Les vieux, surtout, perdent les pédales.

La portière s'ouvre. «C'est Jésus! C'est Jésus!» hurle la foule qui pousse et sautille pour mieux le voir. Les hurlements gênent Jésus qui sourit un peu. Il n'a jamais la classe de Jack Nicholson! Il replace sa couronne d'épines, se mire dans le miroir de la Caddylack et s'approche du comptoir de mon saint Pierre.

– Qu'est-ce qu'il y a, Pete?

– Ben, répond-il, y a que ce jeune homme s'appelle François BruyandD et que le François Bruyant que nous rappelons a le Bruyant qui se termine par un T!

– Évidemment, le code permanent doit être sensiblement le même!

– Oui Jé! BRUF06036809 et BRUF06036806! On a dû mélanger les boules!

– Les boules? reprend Jésus en riant.

– Oui! affirme saint Pierre. Les boules du six et du neuf!

Derrière moi, les gens hurlaient. « Jésus! Jésus, goûte-moi! Touche-moi! » Certaines dames s'évanouissaient, d'autres pleuraient de joie. Des gorilles et des ambulanciers ont fait de l'air.

– Tasse-toi! dit Jésus à saint Pierre, puis il s'assit devant l'ordinateur.

Les plus calmes de ses fans restèrent plantés devant lui, trépignant, frémissants. Après quelques minutes de pitonnage, Jésus déclara sur un ton solennel :

– En vérité, je te le dis mon Pete : y a erreur sur la personne!

– N'est-ce pas? s'informa saint Pierre.

– Sûr! L'ordinateur ne se trompe jamais! fit Jésus.

C'est bien ce que je croyais aussi. Si l'ordinateur commence à se tromper, où allons-nous?

– Qu'est-ce qu'on fait? demanda chose.

– On le retourne en bas! répond brusquement Jésus, mécontent.

Son statut de vedette lui permettait cette
impatience. Faut l'avouer.

– Et moi? Où je vais maintenant? j'ai
demandé.

– Y vont te donner un *lift*! a bêtement
répondu Jésus.

Il a claqué des doigts et saint Pierre a tout de
suite pris l'interphone pour appeler les chevaux
de l'Apocalypse. « Hiiiiiiii! » répondirent-ils.

Cinq minutes plus tard, ils hennissaient à
mon guichet.

– J'ai jamais fait de cheval!!! m'inquiétai-je.

– C'est pas grave, me rassura saint Pierre,
eux autres savent conduire.

– Ah bon.

Jésus est rembarqué dans son char, sous les
supplications de la foule, et tout est rentré
dans l'ordre. Ils ne le verraient peut-être plus
jamais, mais maintenant qu'ils l'avaient vu,
ils pouvaient croire en lui pour l'éternité. Ils
achèteraient des quarante-cinq tours, des posters,
tout ça, et ça leur suffirait. Ils écouteraient
chaque chanson religieusement, décortique-
raient chaque mot et y verraient un bonheur
éternel. Bon. C'est bien beau tout ça, mais il
fallait que je revienne sur terre à cheval.

– Tout doux! Tout doux! déclara saint
Pierre aux chevaux de l'Apocalypse.

– À moins que je les suive à pied ? De loin ?
j'ai proposé à saint Pierre.

– Christ ! T'embarques ou t'embarques
pas ?

– D'accord.

Finalement, la promenade s'est bien passée.
Dans un *rest area*, j'ai baisé un ange.

– C'était bon ? je lui ai demandé.

– Terrible ! il a soupiré en même temps
qu'une bouffée de cigarette.

– Au fait, êtes-vous des hommes ou des
femmes ?

Je m'inquiétais un peu.

– Nous sommes du sexe que tu veux bien
que nous soyons ! il a philosophé.

– Ça m'aide pas beaucoup ! j'ai laissé tomber.

– Nous sommes mi-hommes, mi-femmes !

– Avez-vous une tendance ?

Dans le *rest area* suivant, j'ai répondu que
j'avais déjà donné.

Dans le fond, à faire de l'équitation, on se
sent très près de la nature. Faudra que j'en
refasse un autre tantôt !

– Tu déconnais là, non ? a demandé Pico.

– Oui, j'ai répondu. C'est faux : jamais plus
d'équitation !

– As-tu vu quelque chose ? Un couloir noir ?

– Non. Rien.

Pico s'est tu. C'était une sacrée belle histoire, mais ça ne lui suffisait pas. À quoi bon
insister ?

Dans l'embrasure de la porte se tenait un type. Il avait peur de la fumée. Depuis le milieu de mon histoire, je l'avais remarqué. Timide, con, blême, malade. Ça y était! Ça me revenait! J'avais eu ce type dans un de mes cours en secondaire un.

Il a remarqué que je l'avais remarqué. Sans un mot, avec un licheux qui le suivait, il s'est avancé vers moi. Pas lui!

– Salut François.

– Salut... heu... Chose?

– Sylvain!

– Ah! Sylvain. J'avais oublié.

Toute la famille observait cette rencontre. Personne autre que moi ne connaissait cet énergumène.

– J'ai appris la triste nouvelle, il a entrepris, comme si ça lui faisait mal.

– J'suis pas mort! je l'ai interrompu.

– Je l'sais, je l'sais, il se justifia.

Il parlait doucement comme si j'étais mourant, comme si je n'en avais que pour deux ou trois jours encore.

– Te souviens-tu? On était ensemble en secondaire un...

– Ouais, j'm'en rappelle comme si c'était hier!

– Tu sais, François, je veux être ami avec toi. Tu as des problèmes et je peux t'aider.

– Regarde si y est smatte! a dit amoureusement ma mère. Il veut t'aider!

– M'man! C'est un téteux! Peut-être un évangéliste, un baptiste ou quelque chose du genre! j'ai brusquement coupé.

– Jéhovah! a confirmé le téteux.

– Tiens! Tu vois, m'man? C'est un Jéhovah!

– Je ne suis pas venu en tant que témoin de Jéhovah a précisé Chose. Je suis venu pour t'aider. Uniquement pour t'aider!

– Aide-toi toi-même! Pauvre con!

L'ambiance n'était plus à la rigolade. Je bouleversais et n'étais pas en position de le faire. Il ne devait pas avoir le même Dieu que moi pour venir ainsi m'embêter. Il ne partait pas, malgré la controverse, malgré le malaise. Mal élevé!

– Écoute Sylvain, sitôt que j'ai besoin de toi, je t'appelle. Et comme je n'ai plus de cours de mathématiques, ça m'étonnerait que j'aie besoin de toi!

– Écoute... il a voulu essayer.

– Comment t'as pu devenir aussi con??? Fais-moi trois pages sur ce sujet et rappelle-moi.

Sylvain recula un peu. Son suiveux, lui, ne me connaissait pas. La gêne non plus ne le connaissait guère. Il me toucha. Que dis-je? Il me caressa l'épaule.

– Hey! La Tapette! Lâche mon frère! riposta le grand.

La folle émit du sperme et recula. Si c'était ça revenir sur terre!!!

Mon frère a des préjugés terribles. Plus que moi encore. Pour une fois, ça servait à quelque chose. Les deux... Jéhovah ne bougeaient plus. Ma mère, qui en avait pitié, aurait voulu les aider.

Mon père prit Sylvain par l'épaule, mon frère le suiveux, et ils les raccompagnèrent à la sortie.

– Mon fils est-il Jéhovah?

– Non... répondaient innocemment les deux types en chœur.

– Mon fils est-il un témoin de Jéhovah? insistait mon père en les raccompagnant à la porte du fumoir.

– Non, non!

– Bon! Pourquoi vous l'écœurez?

Jamais je ne me suis senti aussi près de mon père qu'à cet instant précis.

Pico m'a raconté les funérailles de sa tante. Triste. Tout s'est bien passé! m'assura-t-il. Il se demandait s'il n'allait pas assister à une deuxième cérémonie du genre.

– J'suis pas tuable! je l'ai prévenu.

– J'espère!

Il suffit parfois de peu de mots pour se rapprocher. À les écouter, à leur parler, à les sentir, à me sentir corps à corps avec eux, je me demandais pourquoi j'avais tenté d'en finir. Puis, sans réfléchir vraiment longtemps, j'ai réalisé que c'était à cause de moi. De moi. Seulement moi.

— Et Lili? j'ai demandé discrètement à mon frère, alors que nous avions enfin une minute à nous.

— Elle m'a pas cru.

— Quoi? j'ai fait, impatient.

— Elle m'a pas cru. Tu manges jamais de Jos Louis. Encore moins en pleine nuit!

— Qu'est-ce qu'elle a dit?

— Rien. Elle a raccroché.

Peut-être connaissait-elle l'histoire de monsieur Guilbeault?

IV

En fin de compte, ni Bruce Springsteen ni Lili ne sont venus me rendre visite à l'hôpital. Ni lui ni elle ne m'ont envoyé de fleurs ou de télégramme.

Noël fut infernal. Lili m'a téléphoné à minuit le 24 au soir. La naissance de Jésus avait peut-être eu grand effet sur elle; elle adore les accouchements.

– Joyeux Noël! elle a crié dans le combiné.

« J'suis pas sourd! » j'ai pensé. « Et j'sais bien que c'est Noël: je regarde parfois la télé! » C'est marrant, chez vous, un Noël sans celle que vous aimez? Chez nous non plus. La famille a pourtant tout fait pour que le temps des fêtes me soit particulièrement agréable: on a mangé de la dinde, bu beaucoup et presque ri. Pour le traditionnel toast du Jour de l'an, mon grand-père a levé son verre en me souhaitant d'apprendre à aimer la vie. J'ai regardé ma mère. Avec des yeux bouillants.

– Il est de la famille lui aussi, elle a marmonné discrètement.

À mon Ti-Bi, j'ai offert comme cadeau deux belles boîtes de réservoirs à eau chaude. Il a chigné. Il y avait pour trente dollars de papier d'emballage! Le lendemain, il avait emménagé une base spatiale et un chalet derrière le garage de son père. Je savais que ça lui plairait. À mon frère, j'ai donné les magazines que ma mère m'avait apportés à l'hosto. Je n'en avais plus besoin. À ma sœur, ma guitare et à mes parents deux beaux becs. J'ai offert à Kiki la permission de jouer dans les boîtes de carton de son frère.

Eux m'ont donné plein de trucs: ma sœur des bas de nylon pour l'anniversaire de Lili au mois d'avril, mon frère et sa femme, un bouquin de Ginette Ravel pour reprendre goût à la vie et mes parents un ordinateur, histoire de reprendre goût à l'écriture. Ti-Bi a offert à son parrain une petite boîte vide. Il a beaucoup d'humour.

– Joyeux Noël toi aussi! j'ai répondu.

– Je te remercie pour les bas de nylon...

– Ils sont d'excellente qualité!!!

– Oui... je sais... Tu sais François, t'aurais pu venir me les offrir ici au lieu de me les maller!

– J'aurais dû...

Elle m'a raconté que son Noël augurait bien et qu'elle penserait à moi. J'aurais dû profiter de l'euphorie pour négocier un protocole de retour à Montréal, mais ma mère m'a dit de faire vite au téléphone, que la vieille tante des États allait appeler pour nous dire qu'elle est très malade et qu'il s'agit de son dernier Noël et qu'on devrait aller la voir plus souvent à

Houston et qu'il fait beau là-bas et qu'on irait à la plage et qu'elle a un nouvel amant et qu'ils pensent se marier et qu'elle songe à retourner sur le marché du travail et que, tout compte fait, elle est en pleine forme.

La dernière fois que Lili m'avait appelé avant Noël, j'étais toujours à l'hôpital à soigner mon suicide.

– Oui allo? j'avais répondu dans le combiné qui sentait la morphine.

– François? C'est Lili. Comment ça va?

Elle était sombre, fâchée peut-être.

– Mieux. J'sors aujourd'hui.

– Tu sais, ça serait peut-être mieux si tu demeurais chez tes parents... le temps de te remettre sur le piton.

Le ton qu'elle utilisait frôlait l'ordre.

– Ouais, j'ai dit, c'est peut-être mieux comme ça.

Et le printemps est revenu. J'ai cru qu'il ne reviendrait jamais. La neige et le froid ont foutu le camp en même temps. Bon débarras! Les arbres ont revêtu leur robe verte et les oiseaux ont commencé à entonner la septième de Beetho. Je me sentais brièvement poète. On pouvait enfin sortir les vidanges sans avoir à mettre les bottes de laine et les tuques de cuivre. Octobre était aussi loin devant que derrière. C'était la pause.

L'hiver a été dur. Aussi dur que les précédents, mais on oublie vite. En juillet, il se trouve toujours des imbéciles pour avoir hâte à la neige, au ski et à Noël. Je n'ai rien de personnel contre la neige, mais je préfère lorsqu'elle est là par vingt degrés au-dessus de zéro. Je ne suis pas de ceux qui trouvent quoi que ce soit de marrant à observer un flocon dans un microscope. « C'est beau ! »... Ouais, c'est beau mais c'est tout. Les producteurs de sirop d'érable ont chialé : « L'hiver a été trop chaud ! Le printemps est trop froid ! » L'an prochain, ils diront que les conditions ne sont pas aussi favorables que cette année.

En janvier, un sondage a révélé que le gouvernement fédéral n'avait plus que l'appui de quinze pour cent de la population. Un sommet ! Et ils sont toujours là, les vieux députés cardiaques qui se sont vu interdire de fumer par leur docteur privé. Mes cigarettes sont donc passées à huit dollars le paquet. Indexées au coût de la mort. Dorénavant, les quêteux du métro Berri quémanderont deux dollars... pour manger !

Un ordinateur a prévu que le Canadien ne remporterait pas la coupe Stanley. Ils sont maintenant en demi-finale et favoris.

Février a été le mois le plus long et le plus froid. La Saint-Valentin, invention débile des beaux et belles pour frustrer les laids et les laides, nous a permis d'avoir un excellent *show* de variétés à la télé. C'est tout ce que j'ai eu. J'ai envoyé un Valentin à Lili avec une paire de bas de nylon. Elle n'a pas dû le recevoir, je n'ai pas reçu d'appel.

Fin mars fut notre récompense : en une semaine, la dernière, il ne restait plus la moindre trace de neige. Avril est bien entrepris : pour le poisson du mois, j'ai envoyé un emballage vide de bas de nylon à Lili.

J'ai eu des nouvelles de Zaza par les journaux. On a retrouvé son corps dépecé dans un bois des Cantons de l'Est. Depuis le 15 janvier, personne n'avait eu de ses nouvelles. Plusieurs ont cru à un suicide. Dans les circonstances que l'on connaît maintenant, on a éliminé cette possibilité. L'assassin aurait fait son boulot avec une scie mécanique. « Paresseux ! » titraient les journaux. Un policier est venu m'interroger après avoir découvert mon nom et mon numéro de téléphone dans l'agenda de Zaza. Il a avancé qu'elle se livrait peut-être à la prostitution. « Non, j'ai répondu, elle ne chargeait rien. »

La grosse conne s'est fait engrosser par un magasinier. Sa religion le lui permet : c'était un magasinier juif. En juillet, elle partira vivre avec lui. Lili m'a dit qu'elle le battait. Je n'ai aucun mal à le croire. Si c'est un garçon, il s'appellera Pierre. Si s'agit d'une fille, ce sera Nathalie. Jolis noms. La grosse a quitté ses études et travaille dans un restaurant.

Mon sketch du gars qui décape son préfini a été diffusé la première semaine de novembre.

J'ai presque ri. Mon frère en est mort. Cependant, il semble bien que les spectateurs n'aient pas esquissé le moindre sourire. À la station de télévision, les appels des téléspectateurs ont fusé. Ils y avaient vu des allusions racistes, sexistes, pornographiques et communistes. Le pauvre Québécois un peu simple qui déclare à sa femme qu'il va décaper son préfini devra désormais se méfier. Prout-Prout a déclaré le lendemain à la radio qu'il était désolé, qu'il n'a jamais voulu offenser les minorités visibles – qui font vraiment tout pour se faire voir – en déclarant : « Chéri, je vais décaper mon préfini ! » Le réalisateur est venu me voir chez mes parents. Doucement, il m'a appris qu'il ne renouvellera pas mon contrat en juillet et que, si je le souhaitais, je n'avais plus à me rendre aux réunions de production. Il n'a pas cessé, tout au long de sa visite, de me répéter que j'avais beaucoup de talent et un énorme potentiel. Je l'ai remercié, que c'était très gentil, tout ça. Le miniscandale a éclaboussé la carrière de Prout-Prout. C'est toujours ça de gagné. En plus, l'association des gais et lesbiennes, choquée elle aussi par ce sketch, ne le quitte plus d'une semelle. Bien fait.

J'ai regardé *C'est plate mais c'est vrai !* la semaine dernière. Dans le générique, sous le nom de Paulo, il y avait celui de monsieur Ruyère. Depuis le scandale « préfini », les cotes d'écoute ont grimpé en flèche. Toutes les associations du pays regardent le programme pour voir s'il n'y aurait pas d'autres allusions en «istes».

Je vois toujours Pico. Moins souvent : il sort avec une fille. Une rousse très sexy. Elle est allée le voir pour faire limer son dentier. Ce fut le coup de foudre. La semaine dernière, on est allés au restaurant tous les trois. Il a payé. C'est plaisant que Pico soit heureux. Il m'a chargé de laisser le pourboire. La serveuse n'a eu droit à rien du tout : je n'ai pas oublié toutes les fois qu'elle m'a empêché de faire mes besoins à l'appartement...

Pico est aux petits soins avec sa rousse. Et elle en redemande. Elle lui a coûté un max jusqu'à maintenant, mais l'amour n'a pas de prix. Il l'appelle son trésor. Peut-être par mauvaise conscience, Pico m'a donné deux cent cinquante dollars de plus pour ma collection de timbres. Il l'a fait évaluer ; on lui donnerait jusqu'à mille cinq cents. Tout va pour le mieux pour lui. Sa tante, elle, est bel et bien morte et le restera.

Moi, je survis. En février, mon frère m'a offert un poste de commis dans son garage de vente de voitures d'occasion. Grâce à mon ordinateur, mon meilleur ami, je rédige à ma façon les garanties offertes avec la vente de chaque véhicule. Je pratique la magouille saine : mon Tandy 2000 me permet d'écrire, en tout petits caractères, des clauses et des sous-clauses à des garanties qui, finalement, ne veulent absolument rien dire. Les gens ne lisent pas assez, et ceux qui le font ne devraient pas croire tout ce qu'il y a d'écrit. Mon frère s'est sauvé d'un tas de réparations onéreuses. Il m'offre vingt pour cent du prix qu'aurait coûté la réparation. Quand tu n'as pas les moyens d'avoir une voiture neuve, ouvre-toi donc un point de vente d'usagées !

Ma Pontiac est morte lors du dernier froid de février. J'en étais triste. Seule la joie de la réussite de ma première garantie *home made* m'a remonté le moral :

– Et puis quoi ? a gueulé mon frère au client, revenu complètement enragé. T'avais qu'à bien lire la garantie !

– Et le froid, c'est un *act of God* ! j'ai ajouté.

Le type ne reviendra plus.

Pour composer des garanties, il s'agit d'utiliser des mots débiles comme « significatif », « dérogation » ou « intempérance ». En faisant tout plein de retours en arrière, références à d'autres clauses qui, elles-mêmes, font référence à des sous-clauses « stipulées ci-contre », on parvient à convaincre le client. Sinon, on lui dit qu'il s'agit de la meilleure garantie en ville, qu'il n'a qu'à aller voir ailleurs. Le client est toujours emballé. On rigole bien, mon frère et moi. Pourtant, il me manque quelque chose.

Depuis ma sortie de l'hôpital, je vois hebdomadairement un psychologue. Il m'a dit sans sourire que je souffrais d'une dépression postsuicidaire, que c'était normal, qu'il ne fallait pas paniquer, que mes parents m'aideraient, qu'au fait, comment vont-ils ? qu'il ne les avait pas vus depuis une mèche, etc. Veut, veut pas, on est devenus amis. Au lieu de se rencontrer dans son bureau déprimant, on va à la brasserie où il paye mes *drinks* et où il perd une fortune au billard. Il m'a aussi présenté sa femme, qu'il adore me voir baiser devant lui, pendant qu'il a les pieds et poings liés. Devant ses enfants, j'ai refusé.

— Il faudrait que tu pleures beaucoup plus ! il m'a conseillé. Ça te viderait.

— Ça me déplaît pas de faire l'amour avec ta femme.

— Déconne pas, j'te parle de ta dépression. Force-toi à pleurer !

— J'ai jamais eu à me forcer. Pourquoi aujourd'hui ? Et pour chialer comme une Madeleine ? Merci !

Croyez-le ou non, je me laisse aller. Ça ne coûte aucune énergie de brailler tout le temps. Même les comédies de situation québécoises me font pleurer.

— Quand j'irai mieux ? je lui demandais récemment.

— Bientôt. Nous allons commencer à te réintégrer dans la vie sociale. Trouve-toi une blonde, il m'a suggéré.

J'ai repleuré. Non pas parce que je suis devenu un gros tas, mais plutôt en songeant à Lili qui ne donnait plus la moindre nouvelle.

Mon poids, lui, ne m'angoisse pas. Je m'en amuse. Depuis octobre, je bouffe comme jamais. De cent-quarante, je suis rendu à cent-quatre-vingt-dix. Un gros maudit porc. Et je suis mou. La femme du psychologue constitue une exception en aimant les gros mous. Sur la rue, on me remarque et on me pointe du doigt. Chez Steinberg, je traite enfin les obèses de gros tas sans gêne et sans danger de récrimination.

— T'as pas à parler! ils répondent tout bêtement.

— Gros tas! Gros tas! j'insiste.

— Arrêtez! ils larmoient.

Au cinéma, je prends possession des deux bras de mon siège. Personne ne gueule. Je me lave peu. Je pue beaucoup. Quel pied! Qu'est-ce que cela me donnerait d'être en pleine forme? Courir sans souffler comme un bœuf? Je ne cours pas. Depuis que je suis gros, on s'apitoie sur mon sort. Depuis que je suis gros, je me gare dans les stationnements réservés aux handicapés.

Depuis ce gain de poids, les jeunes filles ne me regardent plus. Mais elles rigolent beaucoup.

Emprisonné dans la graisse molle, mon cœur ne bat plus que pour charrier mon sang.

> « *J'veux pas qu'l'opératrice*
> *Me renvoèye mon p'tit change*
> *Quand ça'sonné vingt fois*
> *Pis qu'ça répond pas...* »
> – Charlebois
> (Réjean Ducharme)

Lili m'a téléphoné samedi. J'étais à faire le grand ménage du printemps de la pelouse avec mon père. Un boulot de dépressif. Je n'étais donc pas déçu d'être dérangé un moment. J'ai laissé mon père au milieu de la terrasse, encerclé par les crottes de chien apparues en même temps que la neige est disparue. Je suis entré dans la maison et j'ai couru jusqu'à ma chambre.

– Oui allo ?

– François ?

– Oui.

– C'est Lili.

J'ai eu un bref moment de recul. Dans sa cage, sur mon bureau, ma gerboise m'observait. D'une chiquenaude sur les barreaux, je l'ai envoyé se cacher dans sa ripe qu'il faudrait bien que je me décide à changer. C'est que ça pisse une gerboise !

Je me suis éclairci la gorge avant de continuer :

– Ça fait longtemps que j'ai pas eu de tes nouvelles.

J'étais froid.

– Toi non plus tu ne m'as pas appelée.

– Je fais une dépression postsuicidaire, j'ai dit.

– Ça t'empêchait de m'appeler ?

– Toi, j'ai coupé, quelles bonnes raisons t'avais pour jamais téléphoner ?

– J'ai été prise par mes études.

– Tu dois avoir de sacrées notes ! j'ironisai.

J'admets que je ne m'organise pas pour qu'elle m'appelle souvent. Je pourrais être plus gentil. Là, ça a pris un petit moment avant qu'elle recommence à parler.

– Ça va bien avec ton psychologue ?

– Oui. J'baise sa femme !

– Sans blague...

– Ouais, il m'a dit de brailler aussi souvent que j'en ressentais le besoin. Que c'était normal. Dans la rue, tout le monde me regarde... ça va.

– Paraît que tu as pris du poids ?

– À qui ?

J'ai, cependant, perdu beaucoup de diplomatie.

– Pour le fric, tu t'en sors bien ?

– Ouais. J'ai jamais eu autant de fric et si peu de raisons de le dépenser... Tu m'as sûrement pas appelé pour ça !

Je suis un angoissé chronique, en pleine dépression postsuicidaire, presque psychocon, j'écoute la télé trop souvent, mais je ne suis pas fou.

— Tu peux me le dire au téléphone que t'as rencontré un autre mec!

— Pourquoi t'es aussi méchant? Aussi moche? elle a dit, choquée.

— Je t'aimais et il semble que je ne te satisfaisais pas. Si, avec celle que j'aime, j'arrive pas à convenir, pourquoi devrais-je chercher à plaire?

— J'aurais aimé mieux te l'apprendre au restaurant, elle a miaulé.

— T'aurais payé?

Elle a ricané, gênée. Je n'aurai plus jamais faim. Un motton de je-ne-sais-quoi m'est monté à la *gorge,* essayant de m'étouffer. Je l'ai renvoyé par le fond en ravalant. Depuis le début de ce jour-là, j'avais pleuré quand je m'étais aperçu qu'il n'y avait plus de beurre, quand le chien m'avait ignoré et quand deux nuages étaient apparus dans le coin gauche du ciel. Je n'allais tout de même pas pleurer maintenant!

— Il est comment ce con? j'ai demandé.

— Bah, y est pas trop pire.

— Tu peux me le dire qu'il est parfait. Ce serait moins choquant que d'apprendre que tu me quittes pour un type qui est seulement pas trop pire!

Elle m'en a parlé pendant vingt bonnes minutes. On a conclu qu'il est super épatant. Il travaille comme ingénieur ou quelque chose de génial comme ça. Il est jeune, a plein de fric, deux belles bagnoles et fait du sport régulièrement. En plus, il parle d'écrire un roman. À notre âge, qu'est-ce qu'il y a à raconter ?